TRANSFORMERS

CONFRONTACIÓN

NORMA
Editorial

Guión
SIMON FURMAN

Dibujo
E.J. SU

Color
JOHN RAUNCH Y ZAC ATKINSON

AGRADECIMIENTOS ESPECIALES PARA AARON ARCHER, ELIZABETH GRIFFIN, SHERI LUCCI, RICHARD ZAMBRANO, JARED JONES, MICHAEL PROVOST, MICHAEL RICHIE Y MICHAEL VERRECCHIA DE HASBRO POR SU INESTIMABLE AYUDA.

Este volumen incluye THE TRANSFORMERS: ESCALATION nº1-6 USA

TRANSFORMERS 3: Confrontación. Primera Edición: Julio de 2009. © 2007 Hasbro. All rights reserved. Licensing by Hasbro Properties Grou © 2009 NORMA Editorial por la edición en castellano. NORMA Editorial, S.A. Pg. St. Joan 7, Pral. 08010 Barcelona. Tel.: 93 303 68 20 — Fax: 303 68 31. E-mail: norma@normaeditorial.com. ISBN: 978-84-9847-539-5. Traducción y rotulación: Albert Agut. Printed in China.

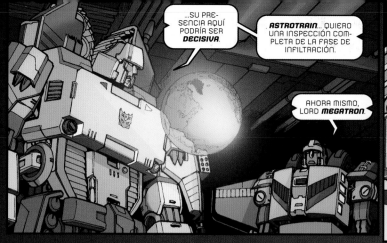

...SU PRE- SENCIA AQUÍ PODRÍA SER **DECISIVA**.

ASTROTRAIN... QUIERO UNA INSPECCIÓN COM- PLETA DE LA FASE DE INFILTRACIÓN.

AHORA MISMO, LORD **MEGATRON**.

DONDE STARSCREAM VIO UN PRESUNTUOSO AVANCE PERSONAL, YO VEO LA **VICTORIA** TOTAL A LARGO PLAZO. EL PROCESO DEBE ADELANTARSE.

QUIZÁ INCLUSO...

"...ACELERARSE."

VROOOM!

PTUP!

FWUUM!

300 pts.

TNK!

IMAGINA EL **EGO** NECESARIO...

¡...PARA DISEÑAR UN VIDEO- JUEGO Y CONVERTIRTE A **TI MISMO** EN LA ESTRELLA!

300 pts.

QUÉ RARO. DESPUÉS DE HACER TANTOS ESFUERZOS PARA QUE NOS SINTIÉRAMOS **CÓMODOS**...

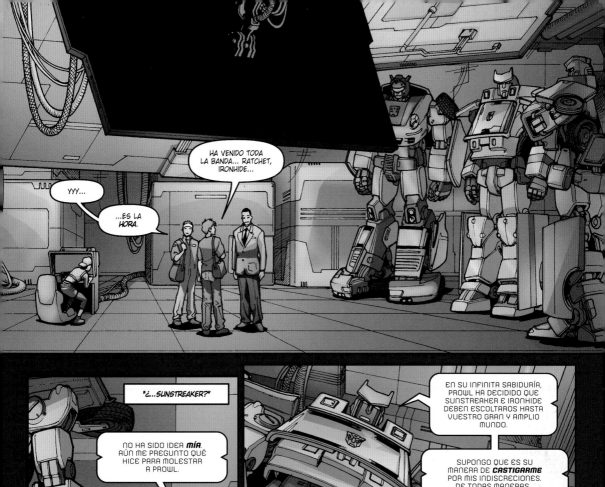

HA VENIDO TODA LA BANDA... RATCHET, IRONHIDE...

YYY...

...ES LA HORA.

"¿...SUNSTREAKER?"

NO HA SIDO IDEA MÍA. AÚN ME PREGUNTO QUÉ HICE PARA MOLESTAR A PROWL.

EN SU INFINITA SABIDURÍA, PROWL HA DECIDIDO QUE SUNSTREAKER E IRONHIDE DEBEN ESCOLTAROS HASTA VUESTRO GRAN Y AMPLIO MUNDO.

SUPONGO QUE ES SU MANERA DE CASTIGARME POR MIS INDISCRECIONES. DE TODAS MANERAS...

...CUIDAOS.

¿YA ESTÁ? BIEN. VAMOS, IRONHIDE...

I...A LA CARRETERA!

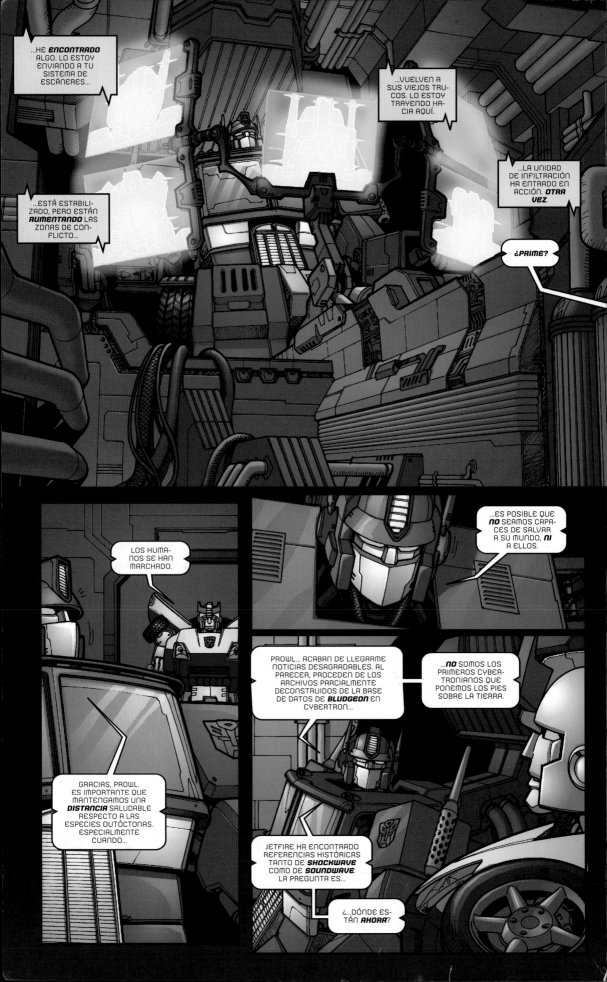

DETECTAMOS ACTIVIDAD... DOS CONTACTOS FUERTES Y RÁPIDOS, TOMANDO TIERRA.

DAME UN VISUAL...

ACCEDIENDO A LA BASE DE DATOS. BUSCANDO EL MODELO.

CONFIRMADO. MECAS... BRAVO Y ECHO...

TRANSMITA LA DESCRIPCIÓN AL MÓVIL DOS E INICIE EL RASTREO.

WEISS... EN MARCHA. QUIERO QUE NOS MANTENGAMOS ENTRE SESENTA Y NOVENTA SEGUNDOS DETRÁS DE LOS MECAS.

RECIBIDO. CREEL, DAME NAVEGACIÓN POR SATÉLITE...

LISTA. MECAS LOCALIZADOS...

"...Y EN *MOVIMIENTO.*"

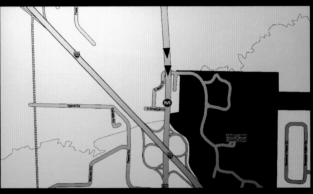

LOS TENGO. SE DIRIGEN AL SUR, A LA 94. BRAVO Y ECHO...

...SIGUEN SU RASTRO.

BIEN. EN CUANTO TENGAMOS CLARO SU PROPÓSITO DIRECCIONAL, ESTABLECEREMOS UNA *ZONA DE INTERCEP-TACIÓN.*

MÓVILES DOS Y TRES, INFORMEN.

MÓVIL DOS. TRAS LA PISTA...

MÓVIL TRES. TRAS LA PISTA...

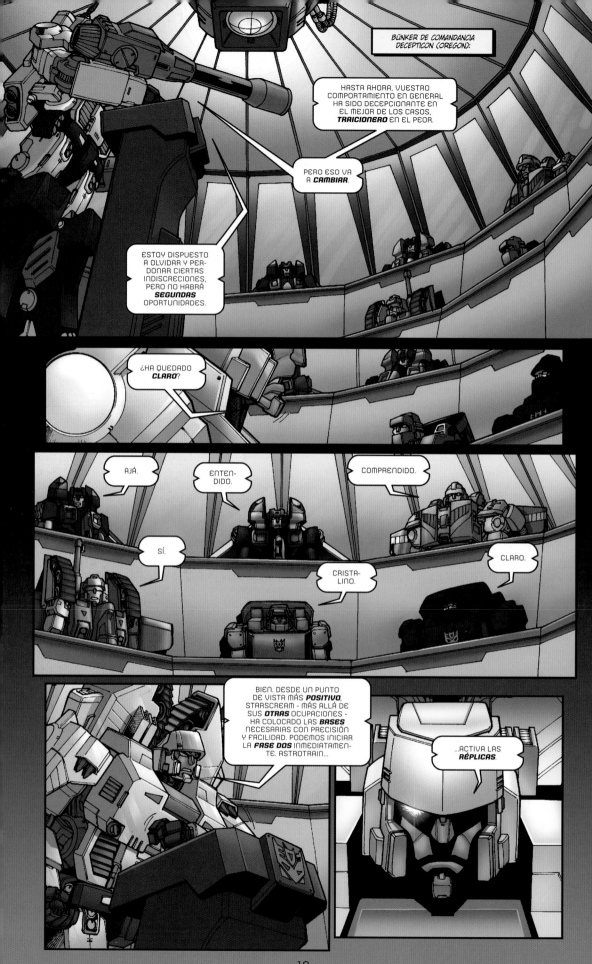

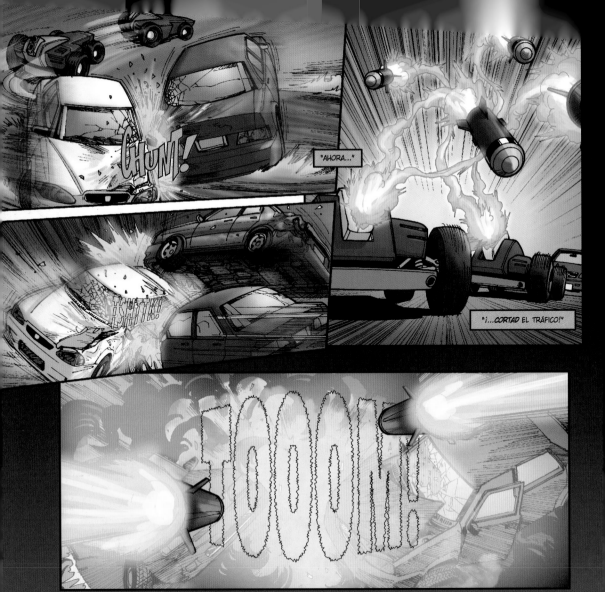

CHUN!

"AHORA..."

TSHTTK!

"¡...CORTAD EL TRÁFICO!"

TOOOOM!

BIEN. TODO EL MUNDO A SUS PUES-TOS...

"ASÍ ES COMO CAE..."

"A CAMPO ABIERTO, PUEDE QUE CERCA DE LOS LÍMITES DE UNA CIUDAD, EL OBJETIVO ESTÁ AISLADO..."

"...INMOVILIZADO."

"ENTONCES..."

WHOOOOOM!

"UN MECA ALIENÍGENA MENOS."

"POR SUPUESTO..."

...AHÍ FUERA, SOBRE EL TERRENO, TODO PUEDE SER *MUY* DIFERENTE.

POR ESO DEBEMOS ESTAR PREPARADOS PARA *CUALQUIER* EVENTUALIDAD, PARA *CUALQUIER* ESCENARIO POSIBLE.

UNIDAD DE OPERACIONES DE *MAQUINACIÓN:* SUDOESTE DE MICHIGAN.

POR AHORA ES SUFICIENTE. LA PRÓXIMA COMPROBACIÓN DE ORDENANZAS ES A LAS 9.00, LA PRÓXIMA *SIMULACIÓN* A LAS 9.45.

Y RECORDAD, A PARTIR DE AHORA, EN CUANTO ENCONTREMOS UN PERFIL ACCIONABLE...

¡...NOS *VAMOS!*

¿SEÑOR CREEL... HAY ALGO?

NO, SEÑOR DRAKE. ESTÁ TODO TRANQUILO COMO UNA TUMBA...

BIEN, MANTÉNGASE CONECTADO. CUANDO SUCEDA... SUCEDERÁ RÁPIDO.

SEÑOR WEISS... ¿MÓVILES DOS Y TRES?

EN ALERTA.

BIEN.

SOLO TENDREMOS UNA OPORTUNIDAD. NADA MÁS. NUESTROS JEFES NO ADMITEN FRACASOS.

LO CIERTO, SEÑOR, ES QUE NO HEMOS VISTO NINGÚN VEHÍCULO EXTRATERRESTRE EN DÍAS.

CRÉAME, EN SITUACIONES COMO ESTA...

"...EN CUALQUIER MOMENTO PUEDE PASAR ALGO."

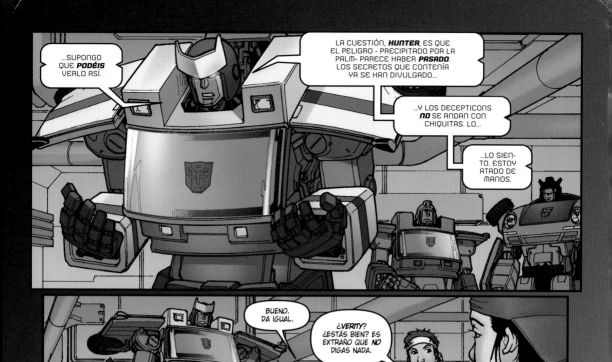

...SUPONGO QUE **PODÉIS** VERLO ASÍ.

LA CUESTIÓN, **HUNTER**, ES QUE EL PELIGRO -PRECIPITADO POR LA PALM- PARECE HABER **PASADO**. LOS SECRETOS QUE CONTENÍA YA SE HAN DIVULGADO...

...Y LOS DECEPTICONS **NO** SE ANDAN CON CHIQUITAS. LO...

...LO SIEN- TO. ESTOY ATADO DE MANOS.

BUENO. DA IGUAL.

¿**VERITY**? ¿ESTÁS BIEN? ES EXTRAÑO QUE **NO** DIGAS NADA.

BAH. NADIE ME HA QUERIDO NUNCA, DESDE QUE EMPECÉ A GATEAR.

¿POR QUÉ IBA A SER **DIFERENTE** AHORA?

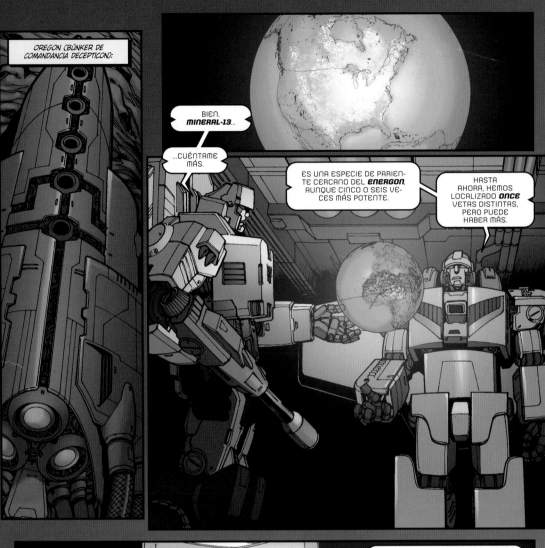

BIEN. **MINERAL-13**...

...CUÉNTAME MÁS.

ES UNA ESPECIE DE PARIENTE CERCANO DEL **ENERGON**, AUNQUE CINCO O SEIS VECES MÁS POTENTE.

HASTA AHORA, HEMOS LOCALIZADO **ONCE** VETAS DISTINTAS, PERO PUEDE HABER MÁS.

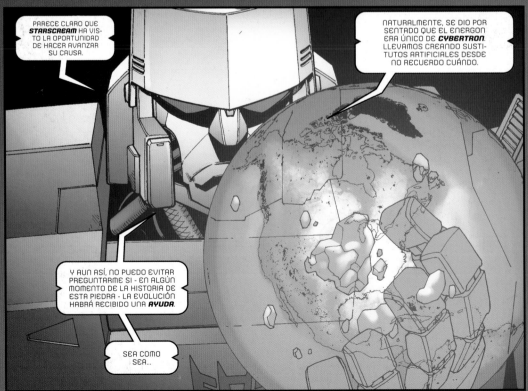

PARECE CLARO QUE **STARSCREAM** HA VISTO LA OPORTUNIDAD DE HACER AVANZAR SU CAUSA.

NATURALMENTE, SE DIO POR SENTADO QUE EL ENERGON ERA ÚNICO DE **CYBERTRON**. LLEVAMOS CREANDO SUSTITUTOS ARTIFICIALES DESDE NO RECUERDO CUÁNDO.

Y AUN ASÍ, NO PUEDO EVITAR PREGUNTARME SI - EN ALGÚN MOMENTO DE LA HISTORIA DE ESTA PIEDRA - LA EVOLUCIÓN HABRÁ RECIBIDO UNA **AYUDA**.

SEA COMO SEA...

"¡...OS TOCA!"

POR FIN.

AHORA...

TROOOM!

UARH.

¡SUNSTREAKER... *SÁCANOS* DE AQUÍ!

SÍ, CLARO.

ESO *PENSABA* HACER.

GENERAL.

SENADOR.

¿QUÉ PUEDO HACER POR USTED?

BUENO. ENTRE USTED Y YO, MI OFICINA ESTÁ FINANCIADA, BÁSICAMENTE, POR UNA COMPAÑÍA PETROLERA DE CIERTA REPUTACIÓN E INFLUENCIA, EN TÉRMINOS *DOMÉSTICOS*.

LAS NOTICIAS SOBRE RETIRADAS DE TROPAS Y ALTOS EL FUEGO EN CIERTAS REGIONES *CONFLICTIVAS* DEL GOLFO LES INQUIETAN. QUIEREN...

JAMES A. GARFIELD
1851 - 1881

...GARANTÍAS.

LA ESTABILIDAD EN AQUELLA ZONA ES, EH, UN *MAL* NEGOCIO. ¿SE TRATA DE ESO?

EXACTO.

BUENO, PUES TRANQUILÍCESE, SENADOR. DÍGALES...

¡...QUE VA PARA *LARGO*!

"IDENTIDAD CONFIRMADA."

"INICIANDO *IDENTIFICACIÓN* DEL OBJETIVO..."

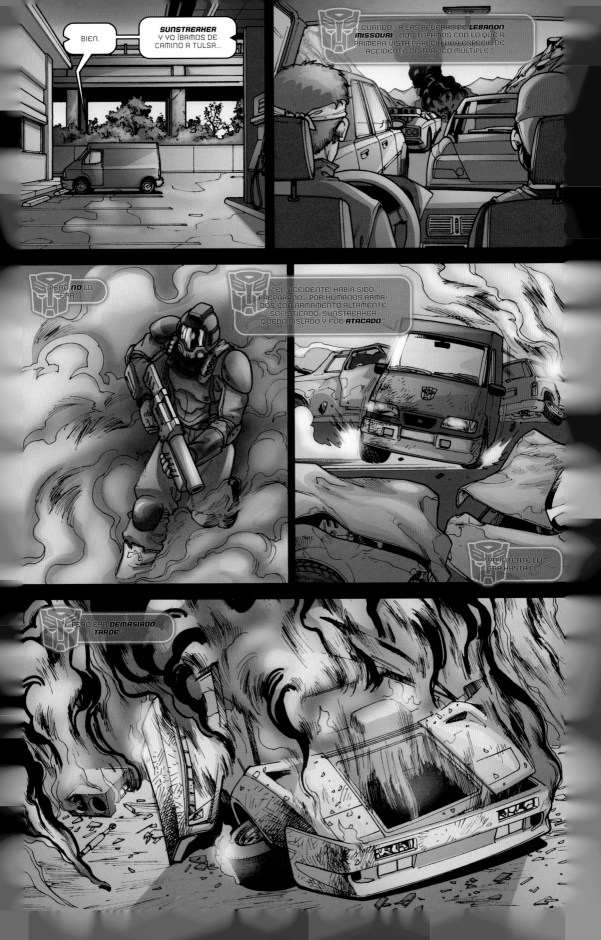

QUIZÁ NO FUERAN LOS DECEPTICONS, Y AUNQUE LO FUERAN, UNA RESPUESTA EN CALIENTE PUEDE QUE SEA *JUSTO* LO QUE ESPERAN.

IRONHIDE, LLEVA A LOS HUMANOS DE VUELTA A *ARCA-19*. POR SI ESTO HA SIDO ALGÚN TIPO DE *REPRESALIA*.

PERO, PRIME...

WHEELJACK, JAZZ Y YO NOS OCUPAREMOS DE LOS RESTOS DE SUNTREAKER. ESA ES NUESTRA *PRIORIDAD*. SOLO ES CUESTIÓN DE TIEMPO QUE LOS HUMANOS SE DEN CUENTA DE QUE *NO* ES LO QUE PARECE. TÚ... REGRESA A LA BASE.

¿ENTENDIDO?

...

SÍ.

MALDITOS SEAN.

¿VERITY? ¿VERITY?

ES ABSURDO QUE TE PREGUNTE SI ES- TÁS BIEN. YO TAMBIÉN ME SIENTO *FATAL*. PERO, EH...

...HABLA CONMIGO.

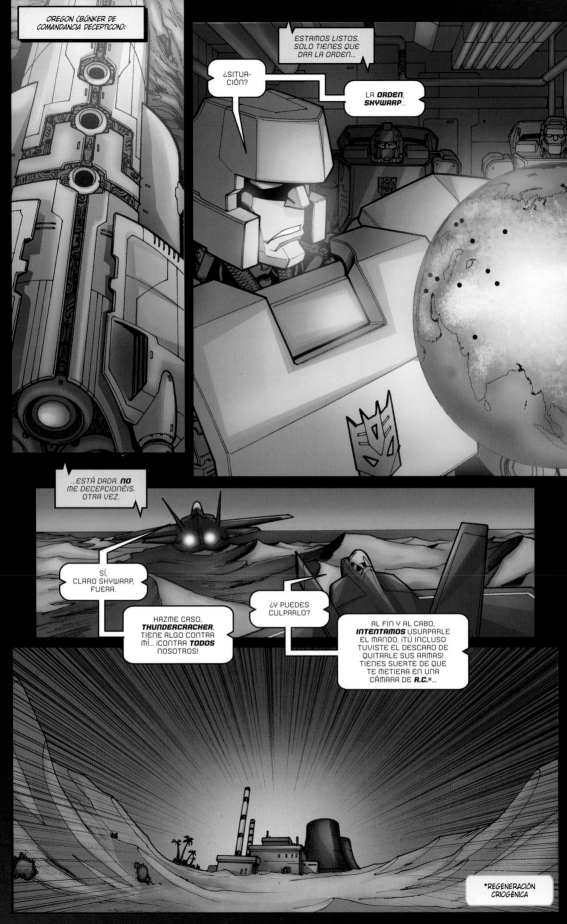

ESTAMOS LISTOS. SOLO TIENES QUE DAR LA ORDEN...

¿SITUA-CIÓN?

LA **ORDEN**, **SKYWARP**...

...ESTÁ DADA. **NO** ME DECEPCIONÉIS. OTRA VEZ.

SÍ, CLARO SKYWARP, FUERA.

HAZME CASO, **THUNDERCRACKER**, TIENE ALGO CONTRA MÍ... ¡CONTRA **TODOS** NOSOTROS!

¿Y PUEDES CULPARLO?

AL FIN Y AL CABO, **INTENTAMOS** USURPARLE EL MANDO. ¡TÚ INCLUSO TUVISTE EL DESCARO DE QUITARLE SUS ARMAS! TIENES SUERTE DE QUE TE METIERA EN UNA CÁMARA DE **R.C.***...

*REGENERACIÓN CRIOGÉNICA

32

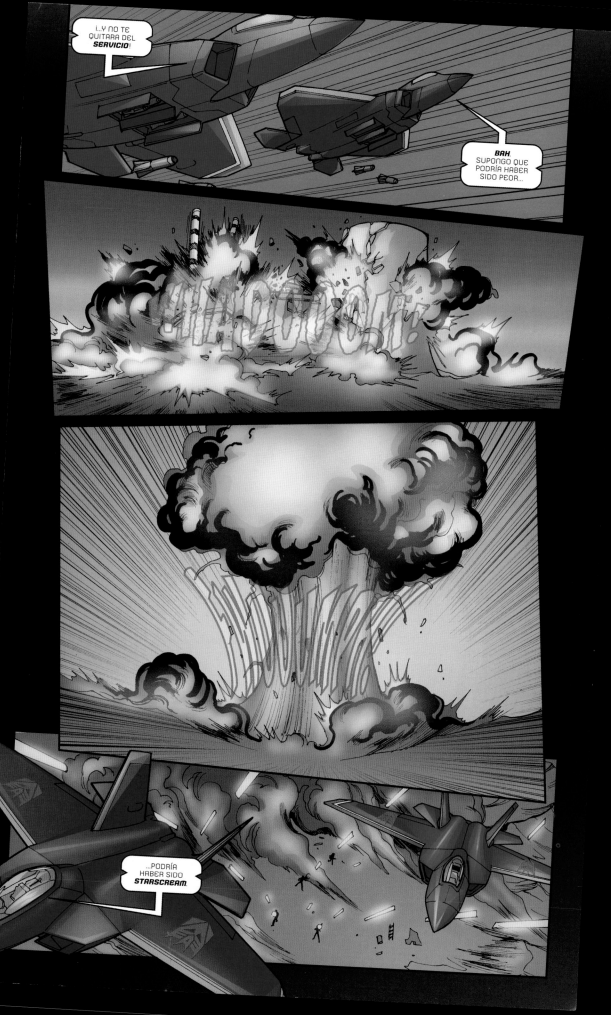

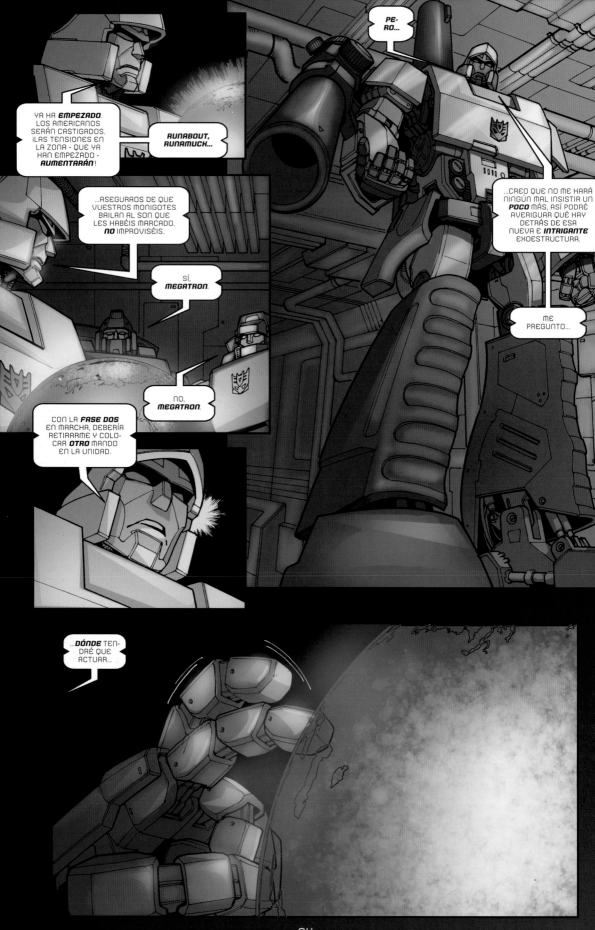

PE-
RO...

YA HA **EMPEZADO**.
LOS AMERICANOS
SERÁN CASTIGADOS.
¡LAS TENSIONES EN
LA ZONA - QUE YA
HAN EMPEZADO -
AUMENTARÁN!

RUNABOUT,
RUNAMUCK...

...ASEGURAOS DE QUE
VUESTROS MONIGOTES
BAILAN AL SON QUE
LES HABÉIS MARCADO.
NO IMPROVISÉIS.

...CREO QUE NO ME HARÁ
NINGÚN MAL INSISTIR UN
POCO MÁS, ASÍ PODRÉ
AVERIGUAR QUÉ HAY
DETRÁS DE ESA
NUEVA E **INTRIGANTE**
EXOESTRUCTURA.

SÍ,
MEGATRON.

ME
PREGUNTO...

NO,
MEGATRON.

CON LA **FASE DOS**
EN MARCHA, DEBERÍA
RETIRARME Y COLO-
CAR **OTRO** MANDO
EN LA UNIDAD.

...**DÓNDE** TEN-
DRÉ QUE
ACTUAR...

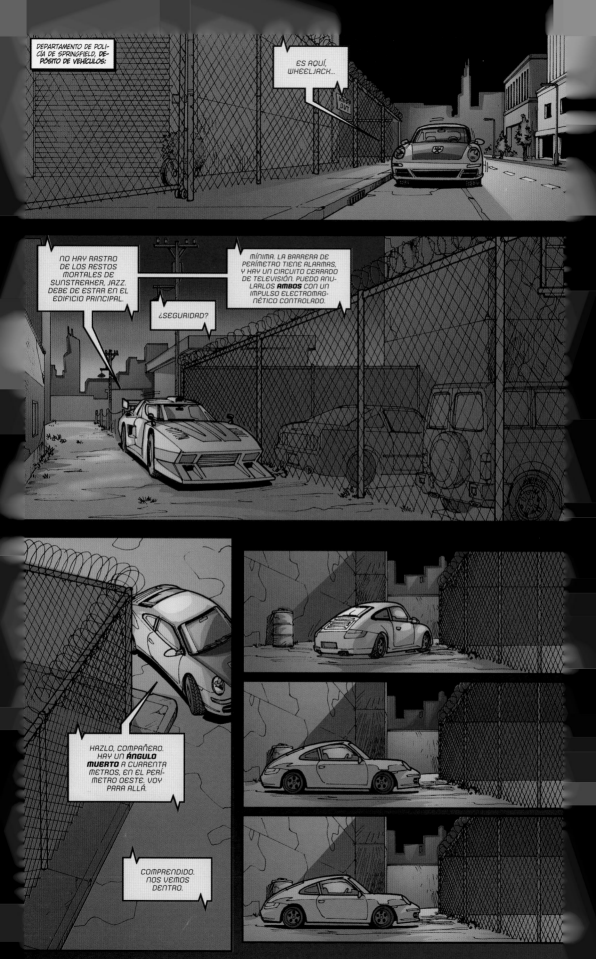

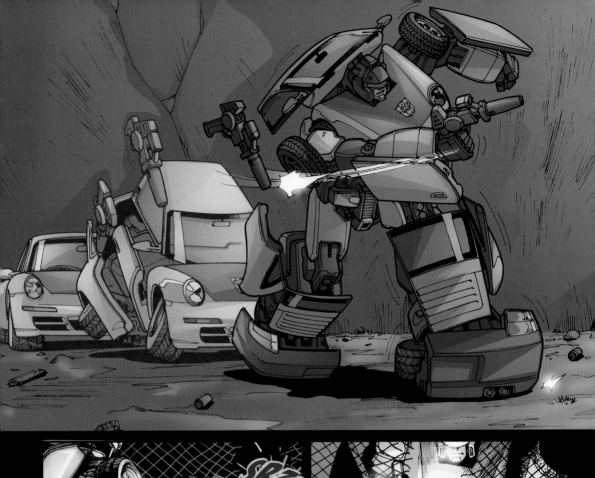

SR###!

YA ESTOY.

YO TAMBIÉN. PERO **PUEDE** QUE TENGAMOS UN PROBLEMA.

TENGO UN CENTINELA HUMANO, CON EVIDENCIAS DE HABER SIDO GOLPEADO CON UN OBJETO CONTUNDENTE EN LA CABEZA. SU PERRO ESTÁ MUERTO, POR UN DISPARO A BOCAJARRO.

ESTO SIGNIFICA...

VENGA...
¡DAOS
PRISA!

KAMEN, WEISS...
ATAD ESE CACHARRO.
GOSS, CREEL... A
LAS PUERTAS.

SCHMIDT...

¡...ARRAN-
CA!

RRRM!

VAYA...

¿...ES UNA
FIESTA *PRIVADA*
O PODEMOS
APUNTARNOS?

SI SOIS LOS QUE
LE HICISTEIS ESO
A SUNSTREAKER,
OS ASEGURO QUE
LO *PAGARÉIS*.

¡INTERFERENCIAS,
RÁPIDO!

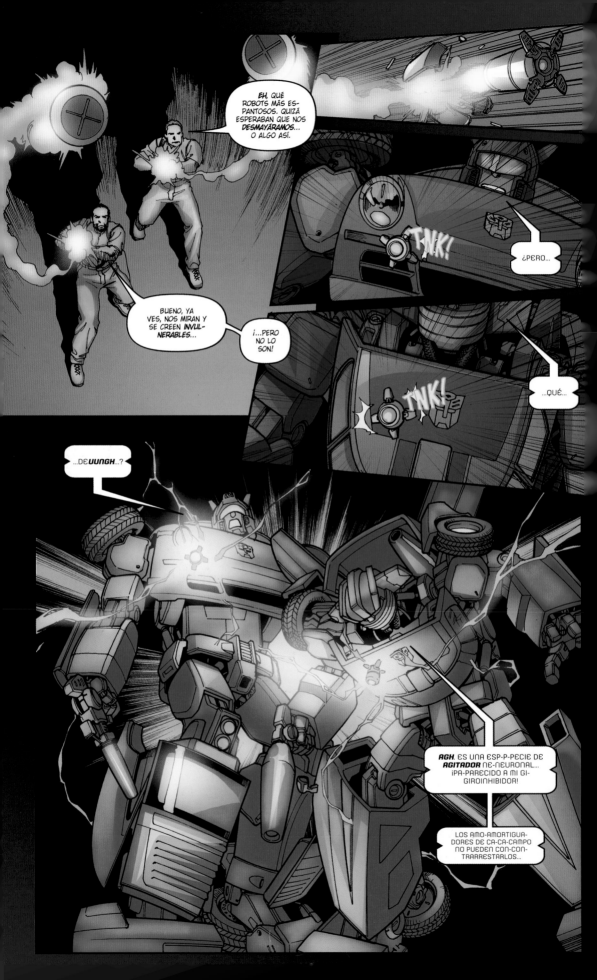

¡**UGH**! SEAN QUIENES SEAN, WHEELJACK...

¡...**NO** LES GUSTA DEJAR CABOS SUELTOS!

PRIME... AQUÍ WHEELJACK. UN SUJETO HOSTIL...

..VA **HACIA TI**"

¡Y¡JAAA!

LLAMADME INMADURO...

¡...PERO ME **ENCANTAN** LOS FUEGOS ARTIFICIALES!

UAAAAH...

GH...

GÑ...

WHOOP

WHOOOP!

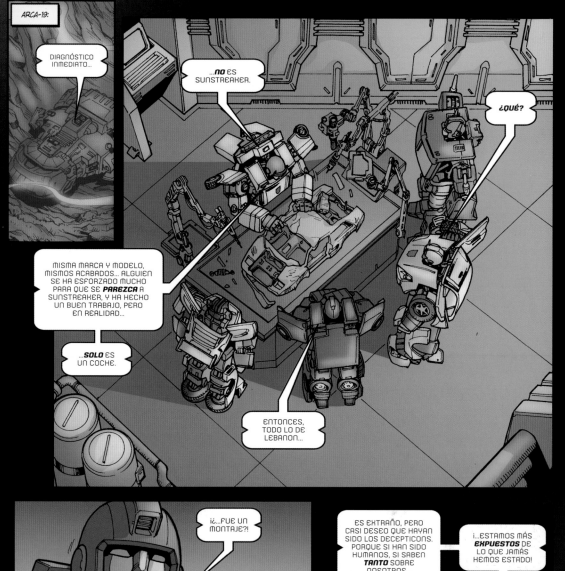

ARCA-19:

DIAGNÓSTICO INMEDIATO...

...**NO** ES SUNSTREAKER.

¿QUÉ?

MISMA MARCA Y MODELO, MISMOS ACABADOS... ALGUIEN SE HA ESFORZADO MUCHO PARA QUE SE **PAREZCA** A SUNSTREAKER, Y HA HECHO UN BUEN TRABAJO, PERO EN REALIDAD...

...**SOLO** ES UN COCHE.

ENTONCES, TODO LO DE LEBANON...

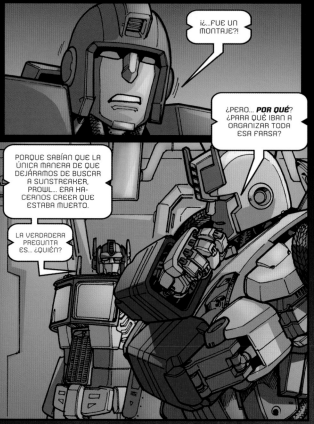

¿¡...FUE UN MONTAJE?!

PORQUE SABÍAN QUE LA ÚNICA MANERA DE QUE DEJÁRAMOS DE BUSCAR A SUNSTREAKER, PROWL... ERA HACERNOS CREER QUE ESTABA MUERTO.

LA VERDADERA PREGUNTA ES... ¿QUIÉN?

¿PERO... **POR QUÉ**? ¿PARA QUÉ IBAN A ORGANIZAR TODA ESA FARSA?

ES EXTRAÑO, PERO CASI DESEO QUE HAYAN SIDO LOS DECEPTICONS. PORQUE SI HAN SIDO HUMANOS, SI SABEN **TANTO** SOBRE NOSOTROS...

¡...ESTAMOS MÁS **EXPUESTOS** DE LO QUE JAMÁS HEMOS ESTADO!

ZONA DE CONTENCIÓN BIOLÓGICA:

...LOS ATAQUES DE HOY Y LAS INEVITABLES HIPÓTESIS SOBRE LA PARTICIPACIÓN DEL GOBIERNO DE ESTADOS UNIDOS...

...SON UN SÍNTOMA DE LA ESTRUCTURA CAMBIANTE DE LA REGIÓN.

VERITY, JIMMY... ...BUENAS NOTICIAS.

¿IRONHIDE?

AL PARECER LA INTERCEPTACIÓN DE LEBANON HA SIDO UNA ESPECIE DE COMPLICADA MANIOBRA DE DISTRACCIÓN.

ALEXANDER HOLT

...DE QUE HUNTER *SIGA* VIVO.

LIVE 7:11 PM

ALEXANDER F. U.S. SENATE

T-SPAN

HAY ALGUNA *POSIBILIDAD*, AUNQUE LEVE...

ALEXANDER HOLT

ASÍ QUE, A MENOS QUE SE ACTÚE CON *FIRMEZA* PARA GARANTIZAR LA SEGURIDAD DE LOS INTERESES ESTADOUNIDENSES EN LA REGIÓN, ES DE PREVER QUE SE PRODUZCA UNA ESCASEZ DE ENERGÍA *GLOBAL*.

ERAN DECLARACIONES DEL SENADOR DE LOUISIANA, **ALEXANDER HOLT**, DESPUÉS DEL ATAQUE DE UNOS CAZAS NO IDENTIFICADOS CONTRA LA PLANTA ELÉCTRICA DE **EL JIRA**.

ALEXANDER HOLT

HOLT, DECLARADO PARTIDARIO DE UNA INTERVENCIÓN MÁS *DIRECTA* DE ESTADOS UNIDOS EN LA ZONA, SUENA CON FUERZA...

...COMO EL POSIBLE *PRÓXIMO* CANDIDATO REPUBLICANO A LA CASA BLANCA.

ARCEE ARTHUR

T-SPAN

ESTADO SOVIÉTICO ESCINDIDO DE **BRASNYA:**

GEORGI, ¿ADÓNDE VAS?

CON ESOS RUMORES SOBRE UN **TRATO** ENTRE LOS FEDERALISTAS Y MOSCÚ, AHORA MÁS QUE NUNCA, HAY QUE ESTAR TRANQUILOS... ¡NO ENTRAR EN **ACCIÓN!**

HEMOS PERDIDO A DEMASIADOS HOMBRES BUENOS. ¡NO **PODEMOS** ABANDONAR!

ALEXI, **ALEXI...**

¿...QUIÉN HA HABLADO DE **ABANDONAR?** LUCHAREMOS HASTA EL **FINAL,** POR NUESTROS DERECHOS.

Y RESPECTO A LA ACCIÓN, CRÉEME SI TE DIGO...

...QUE ESTÁ AL **CAER.**

VOP

Y AHORA...

BLITZWING, SKYWARP... DEJADME *ESPACIO*. LA SECUENCIA DE **DESPLAZAMIENTO DE MASA**...

...TIENE CIERTAS...

¡...CONSE-CUENCIAS!

YA *SABES* LO QUE TIENES QUE HACER...

KOSKA. AUNQUE TIENES ASPECTO HUMANO, TENDRÁS EL **HONOR** SIN PRECEDENTES...

...DE EMPUÑAR EL **ARMA VIVIENTE** MÁS POTENTE DE LA GALAXIA.

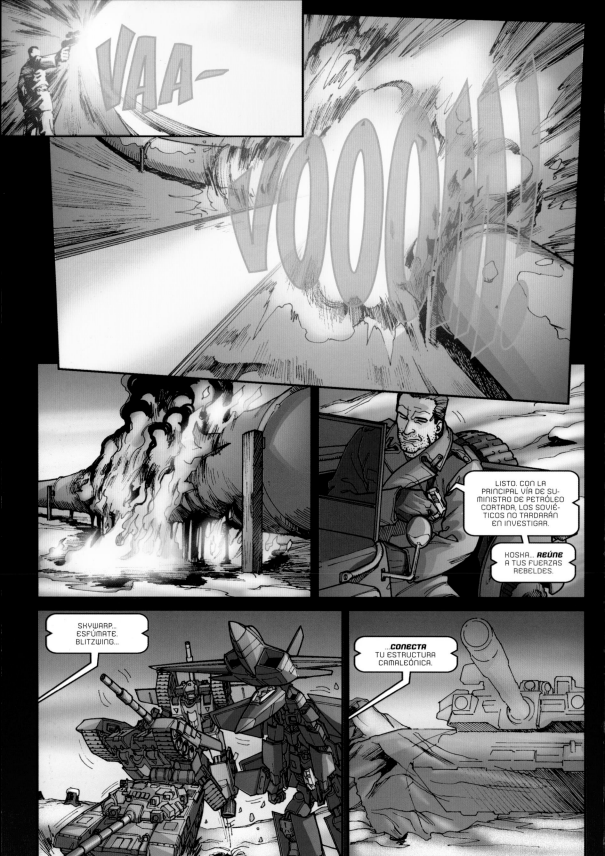

VAA-

VOOOM!!!

LISTO. CON LA PRINCIPAL VÍA DE SUMINISTRO DE PETRÓLEO CORTADA, LOS SOVIÉTICOS NO TARDARÁN EN INVESTIGAR.

KOSKA... *REÚNE* A TUS FUERZAS REBELDES.

SKYWARP... ESFÚMATE. BLITZWING...

...*CONECTA* TU ESTRUCTURA CAMALEÓNICA.

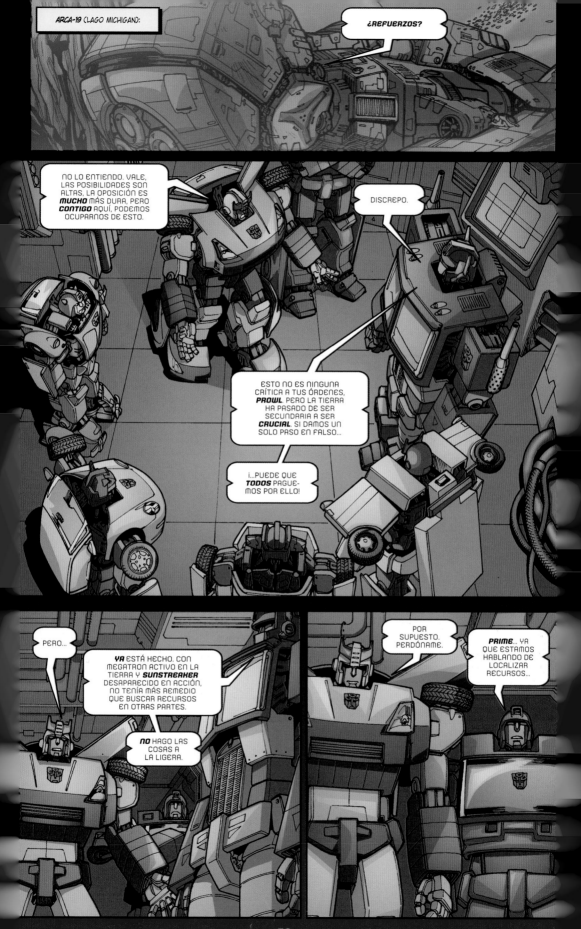

ARCA-19 (LAGO MICHIGAN):

¿REFUERZOS?

NO LO ENTIENDO. VALE, LAS POSIBILIDADES SON ALTAS, LA OPOSICIÓN ES **MUCHO** MÁS DURA, PERO **CONTIGO** AQUÍ, PODEMOS OCUPARNOS DE ESTO.

DISCREPO.

ESTO NO ES NINGUNA CRÍTICA A TUS ÓRDENES, **PROWL**, PERO LA TIERRA HA PASADO DE SER SECUNDARIA A SER **CRUCIAL**. SI DAMOS UN SOLO PASO EN FALSO...

¡...PUEDE QUE **TODOS** PAGUE- MOS POR ELLO!

PERO...

YA ESTÁ HECHO. CON MEGATRON ACTIVO EN LA TIERRA Y **SUNSTREAKER** DESAPARECIDO EN ACCIÓN, NO TENÍA MÁS REMEDIO QUE BUSCAR RECURSOS EN OTRAS PARTES.

NO HAGO LAS COSAS A LA LIGERA.

POR SUPUESTO. PERDÓNAME.

PRIME... YA QUE ESTAMOS HABLANDO DE LOCALIZAR RECURSOS...

...CREO QUE SERÁ *MEJOR* QUE ME OCUPE DEL SECUESTRO.

NO SABEMOS QUIÉN TIENE A SUNSTREAKER NI POR QUÉ SE LO HAN LLEVADO... Y TENGO QUE DESCUBRIRLO, SE LO *DEBO.*

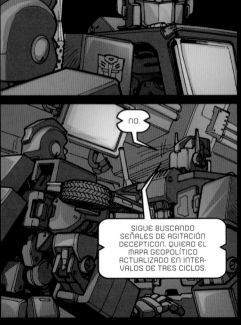

NO.

SIGUE BUSCANDO SEÑALES DE AGITACIÓN DECEPTICON. QUIERO EL MAPA GEOPOLÍTICO ACTUALIZADO EN INTERVALOS DE TRES CICLOS.

ENTENDIDO.

WHEELJACK, COMPRUEBA EL SISTEMA PRINCIPAL. JAZZ, DESCARGA LOS CANALES DE COMUNICACIÓN. *BUMBLEBEE,* REVISA TODAS LAS IMÁGENES DE LOS SATÉLITES DE VIGILANCIA. *RATCHET,* DESHAZTE DEL FALSO SUNSTREAKER.

IRONHIDE, TÚ Y YO...

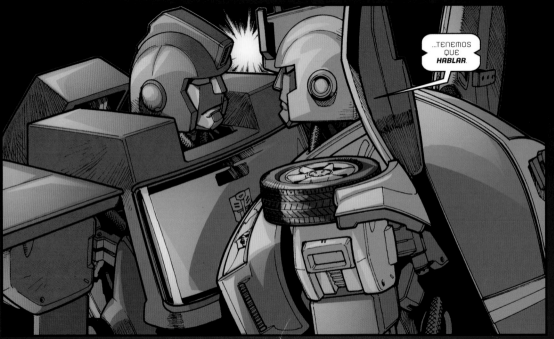

...TENEMOS QUE *HABLAR.*

BRASNYA:

¡ALTO! ¡MIRA!

¡NADA DE "PRO-BLEMA *TÉCNICO*"! ¡ESTO ES UN SA-BOTAJE!

¡COMUNÍCALO... *INMEDIATAMENTE*! ANTES DE...

TFWM

¡UNGH!

PARECE QUE HAN OLVIDADO DÓNDE ESTÁ LA FRONTERA.

¡RECOR-DÁDSELO!

55

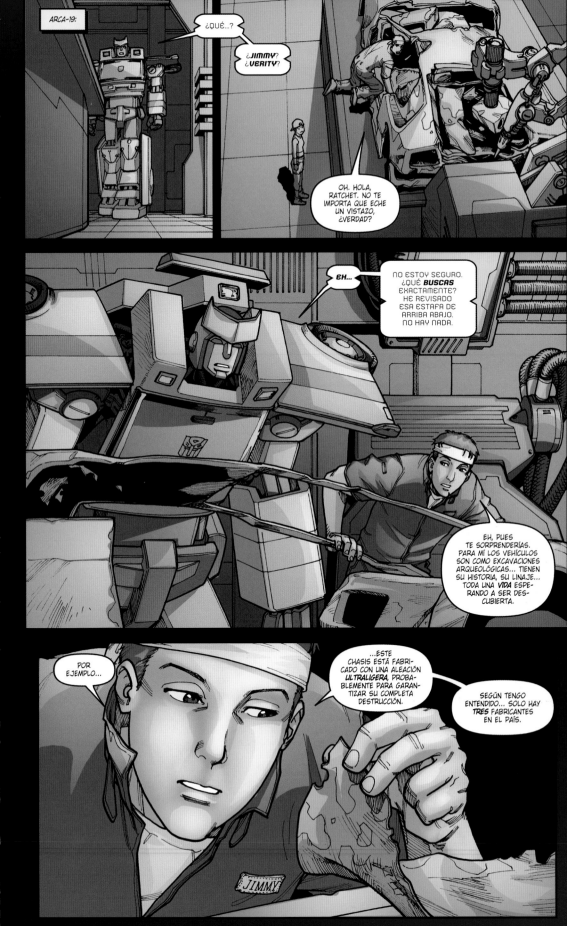

ARCA-19:

¿QUÉ...?

¿JIMMY? ¿VERITY?

OH. HOLA, RATCHET. NO TE IMPORTA QUE ECHE UN VISTAZO, ¿VERDAD?

EH...

NO ESTOY SEGURO. ¿QUÉ **BUSCAS** EXACTAMENTE? HE REVISADO ESA ESTAFA DE ARRIBA ABAJO. NO HAY NADA.

EH, PUES TE SORPRENDERÍAS. PARA MÍ LOS VEHÍCULOS SON COMO EXCAVACIONES ARQUEOLÓGICAS... TIENEN SU HISTORIA, SU LINAJE... TODA UNA **VIDA** ESPERANDO A SER DESCUBIERTA.

POR EJEMPLO...

...ESTE CHASIS ESTÁ FABRICADO CON UNA ALEACIÓN **ULTRALIGERA**, PROBABLEMENTE PARA GARANTIZAR SU COMPLETA DESTRUCCIÓN.

SEGÚN TENGO ENTENDIDO... SOLO HAY **TRES** FABRICANTES EN EL PAÍS.

JIMMY

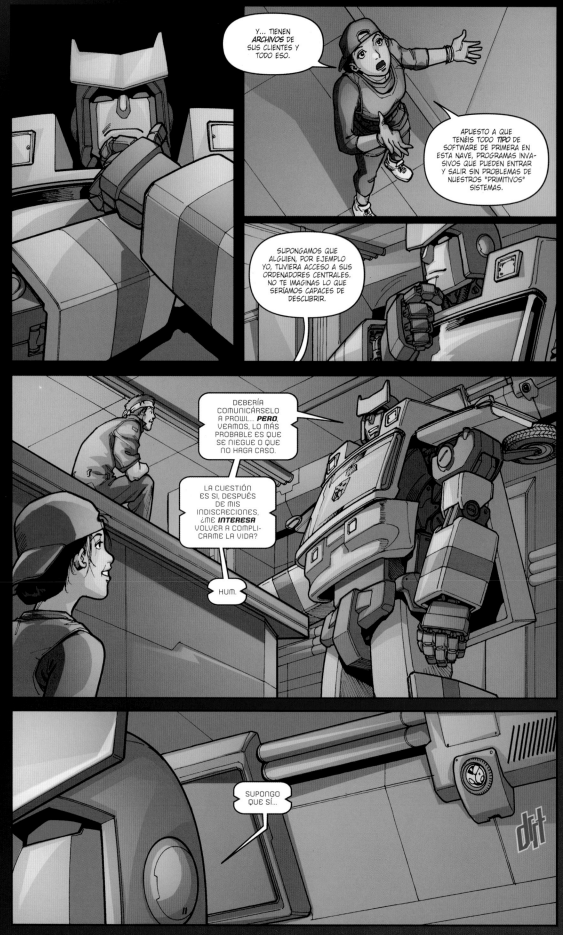

BRASNYA:

"AH, LOS RUSOS. JUSTO A TIEMPO."

¿ESTÁS **SEGURO** DE QUE LOS BRASNYANOS RESPONDERÁN? PUEDE QUE BUSQUEN... UNA SOLUCIÓN **DIPLO-MÁTICA**.

NO ERES LA ÚNICA **RÉPLICA** EN ACTIVO, GEORGI KOSKA.

MIENTRAS HABLAMOS, SE CELEBRAN CONVERSACIONES EN **ZYARGI**, HAY RUIDO DE SABLES. CUANDO SEA NECESARIO, AUMENTAREMOS LA **PRESIÓN**.

NO HEMOS DEJADO NADA AL AZAR.

¿Y CUANDO **VENGAN**? SEGÚN LA EXPERIENCIA DE ESTE INDIVIDUO, ESTE TIPO DE CONFRONTACIONES ACA-BAN SIEMPRE EN UN PUNTO MUERTO.

"¿CUANDO VENGAN?"

"¡BLITZWING LOS ESTARÁ ESPERANDO!"

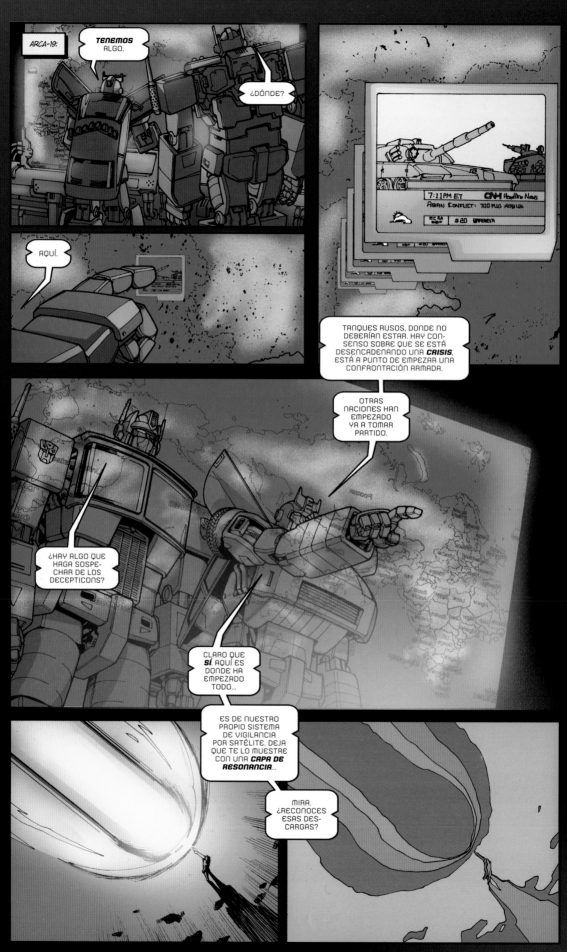

ARCA-19:

TENEMOS ALGO.

¿DÓNDE?

AQUÍ.

7:11PM ET   CNH Headline News
ASIAN CONFLICT: 700 PLUS HOSTILES

TANQUES RUSOS, DONDE NO DEBERÍAN ESTAR. HAY CONSENSO SOBRE QUE SE ESTÁ DESENCADENANDO UNA **CRISIS**, ESTÁ A PUNTO DE EMPEZAR UNA CONFRONTACIÓN ARMADA.

OTRAS NACIONES HAN EMPEZADO YA A TOMAR PARTIDO.

¿HAY ALGO QUE HAGA SOSPECHAR DE LOS DECEPTICONS?

CLARO QUE **SÍ**. AQUÍ ES DONDE HA EMPEZADO TODO...

ES DE NUESTRO PROPIO SISTEMA DE VIGILANCIA POR SATÉLITE. DEJA QUE TE LO MUESTRE CON UNA **CAPA DE RESONANCIA**...

MIRA. ¿RECONOCES ESAS DESCARGAS?

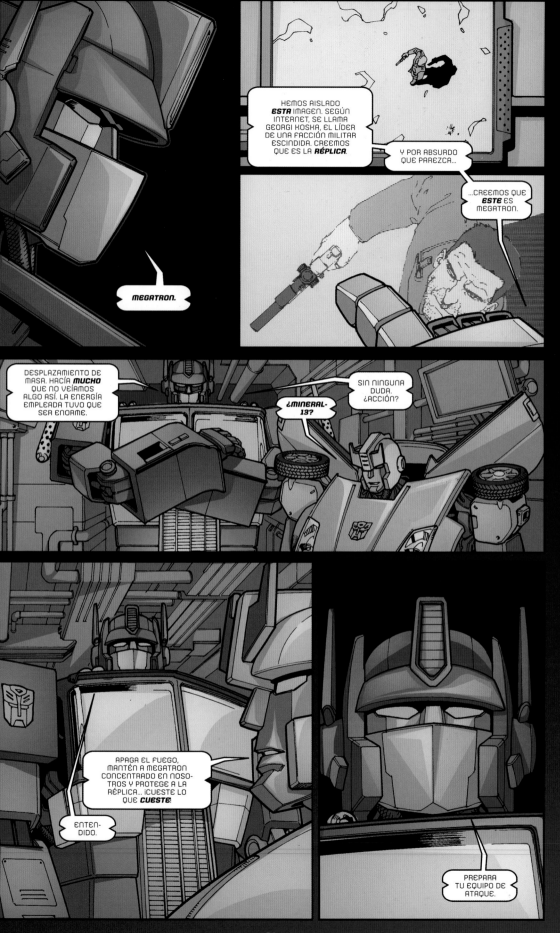

FA-DAMM!

TUMM

¡YA SE LO HE DICHO... NOS ESTÁN *DISPA-RANDO!*

¡¿QUE SE LO CONFIRME?! ¿QUIÉN VA A *SER* SI NO?

SÍ, ENTIENDO. ESPERE...

CONFIRMADO. REPITO... UN TAN-QUE **SOVIÉTICO** ESTÁ DISPARANDO CONTRA NUESTRAS POSI-CIONES.

¡SEÑOR, NECE-SITO UNA ORDEN **DIRECTA**!

ENTENDIDO. A **TODAS** LAS UNIDADES...

¡...FUEGO A DISCRE-CIÓN!

KT-TOOOM!

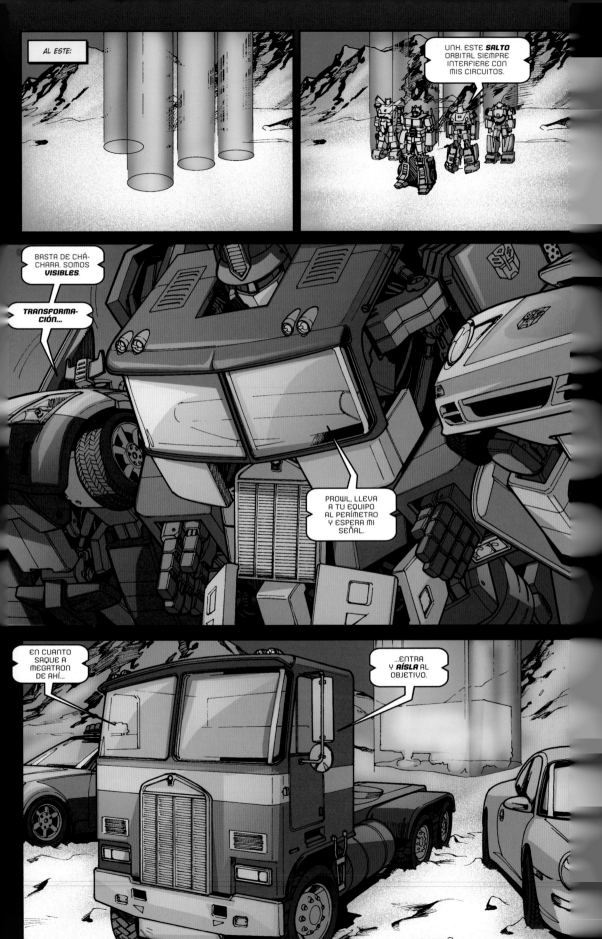

AL ESTE:

UNH. ESTE **SALTO** ORBITAL SIEMPRE INTERFIERE CON MIS CIRCUITOS.

BASTA DE CHÁ-CHARA. SOMOS **VISIBLES**.

TRANSFORMA-CIÓN...

PROWL, LLEVA A TU EQUIPO AL PERÍMETRO Y ESPERA MI SEÑAL.

EN CUANTO SAQUE A MEGATRON DE AHÍ...

...ENTRA Y **AÍSLA** AL OBJETIVO.

SI HAY TRÁFICO LOCAL, INMOVILÍZALO PERO **NO** ATAQUES.

NO QUEREMOS EMPEORAR LAS COSAS.

YA LO HABÉIS OÍDO. EN **MARCHA**...

JAZZ... **SOPORTES DE TRACCIÓN.**

SÍ, SÍ.

AGUAFIESTAS.

Y RECORDAD... ES **FUNDAMENTAL** QUE SAQUEMOS INTACTA A LA RÉPLICA. SU PATRÓN CELULAR ES LA **CLAVE**...

...DE **TODAS** LAS DEMÁS RÉPLICAS QUE ESTÁN OPERANDO EN LA TIERRA AHORA MISMO.

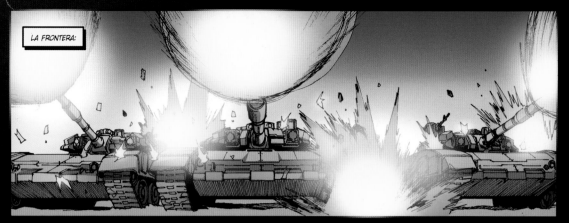

LA FRONTERA:

¿Y AHORA QUÉ?

NOS RETIRAMOS. TÚ, AL HABER CUMPLIDO EL PAPEL QUE TENÍAS ASIGNADO, SERÁS DESMANTELADO.

BLITZWING...

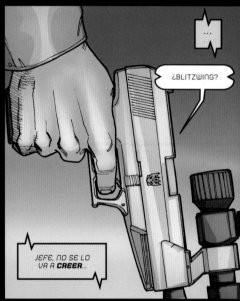

...

¿BLITZWING?

JEFE, NO SE LO VA A CREER...

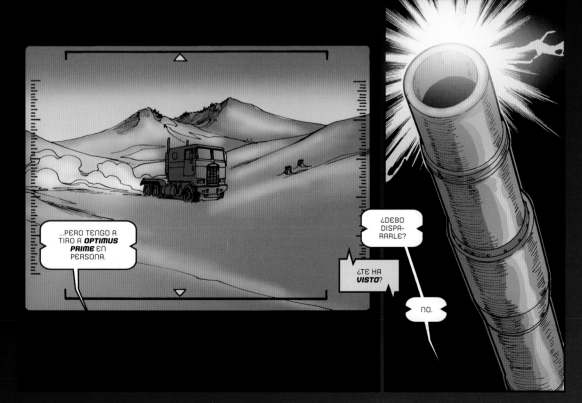

...PERO TENGO A TIRO A **OPTIMUS PRIME** EN PERSONA.

¿DEBO DISPARARLE?

¿TE HA **VISTO**?

NO.

ASEGÚRATE DE QUE **NO** LO HAGA. Y CUANDO LO TENGAS A TU ALCANCE...

"...**DISPARA**!"

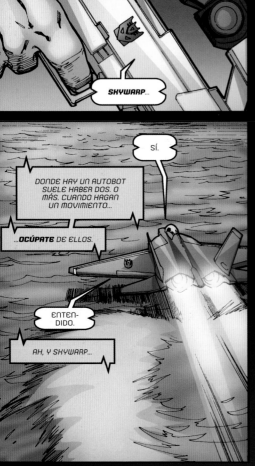

SKYWARP...

SÍ.

DONDE HAY UN AUTOBOT SUELE HABER DOS. O MÁS. CUANDO HAGAN UN MOVIMIENTO...

...**OCÚPATE** DE ELLOS.

ENTEN-DIDO.

AH, Y SKYWARP...

...LLEVA A **ASTROTRAIN** CONTIGO.

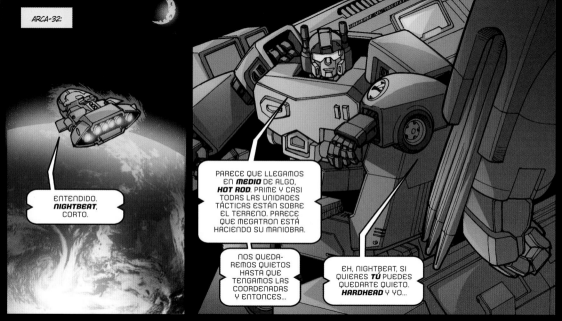

ENTENDIDO. **NIGHTBEAT**, CORTO.

PARECE QUE LLEGAMOS EN **MEDIO** DE ALGO, **HOT ROD**. PRIME Y CASI TODAS LAS UNIDADES TÁCTICAS ESTÁN SOBRE EL TERRENO. PARECE QUE MEGATRON ESTÁ HACIENDO SU MANIOBRA.

NOS QUEDAREMOS QUIETOS HASTA QUE TENGAMOS LAS COORDENADAS Y ENTONCES...

EH, NIGHTBEAT, SI QUIERES **TÚ** PUEDES QUEDARTE QUIETO. **HARDHEAD** Y YO...

¡...**NOS VAMOS**!

¡YU-JUUU!

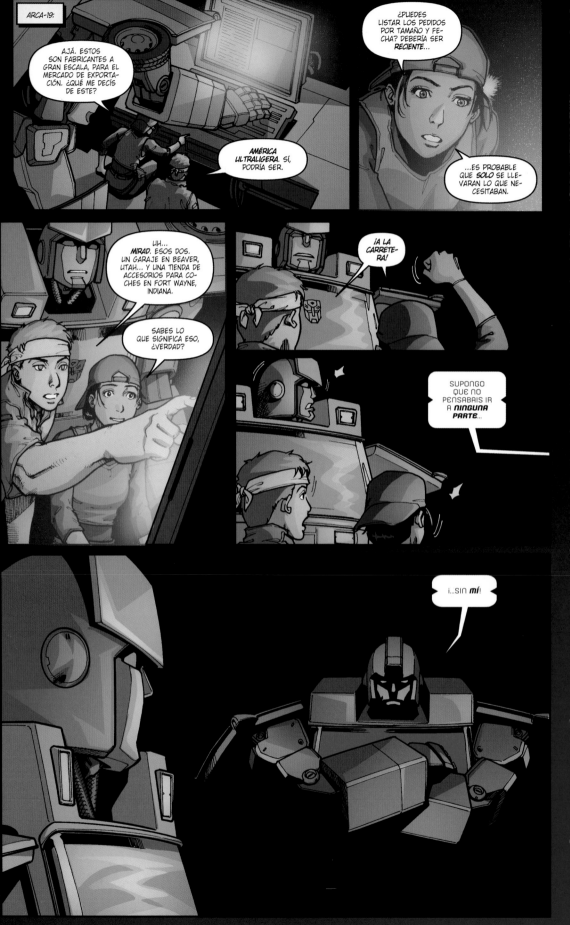

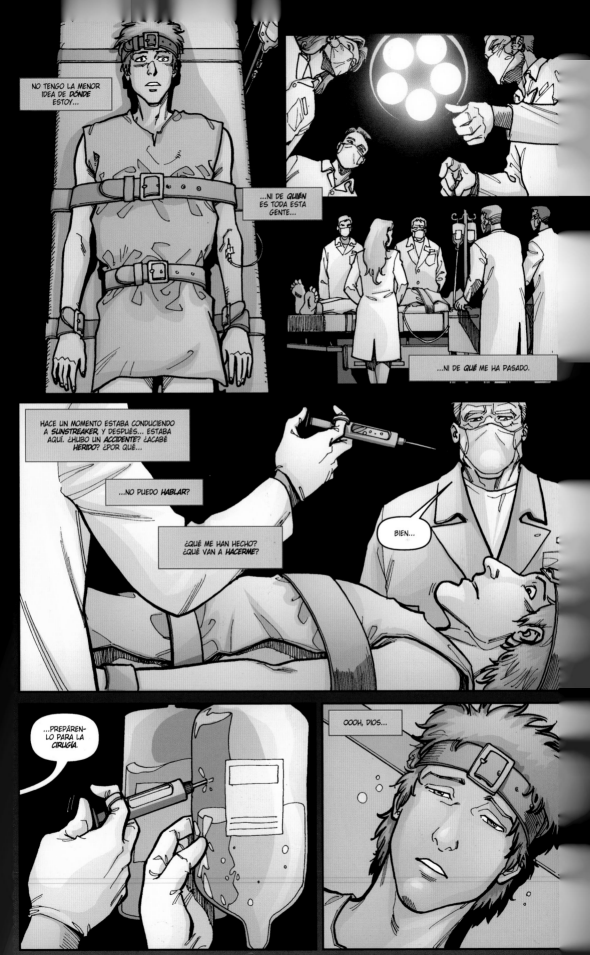

NO TENGO LA MENOR IDEA DE *DÓNDE* ESTOY...

...NI DE *QUIÉN* ES TODA ESTA GENTE...

...NI DE *QUÉ* ME HA PASADO.

HACE UN MOMENTO ESTABA CONDUCIENDO A *SUNSTREAKER* Y DESPUÉS... ESTABA AQUÍ. ¿HUBO UN *ACCIDENTE*? ¿ACABÉ *HERIDO*? ¿POR QUÉ...

...NO PUEDO *HABLAR*?

¿QUÉ ME HAN HECHO? ¿QUÉ VAN A *HACERME*?

BIEN...

...PREPÁREN-LO PARA LA *CIRUGÍA*.

OOOH, DIOS...

¿IRONHIDE?

PUEDE QUE ME EQUIVOQUE, **JIMMY**, PERO CREO QUE AHÍ HAY ALGO PARECIDO A UN LECTOR DE **HOLOMATERIA**.

¿EL MATERIAL CON EL QUE VUESTROS FALSOS CONDUCTORES ESTÁN CONSTRUIDOS?

EXACTO.

ENTON-CES...

¡...SEGURO QUE ES AQUÍ!

BIEN... ¿A QUÉ ESPE-RAMOS?

A TENER UNA ESTRATEGIA SÓLIDA Y LIBRE DE RIESGOS, **VERITY**. SI ESTE LUGAR ESTÁ RELACIONADO CON LA GENTE QUE TIENE A **SUNSTREAKER**...

¡Y A **HUNTER**!

Y A HUNTER. DEBEMOS ACTUAR CON LA **MAYOR** DE LAS PRECAUCIONES.

PERO...

PERO NADA. YA HEMOS VISTO - **DOS** VECES - LO BIEN ARMADOS Y ORGANIZADOS QUE ESTÁN ESTOS GRUPOS. Y TIENEN LA COSTUMBRE, CUANDO SE LES DESCUBRE, DE OCULTAR SU RASTRO... **EXPLOSIVAMENTE**. ESTA VEZ...

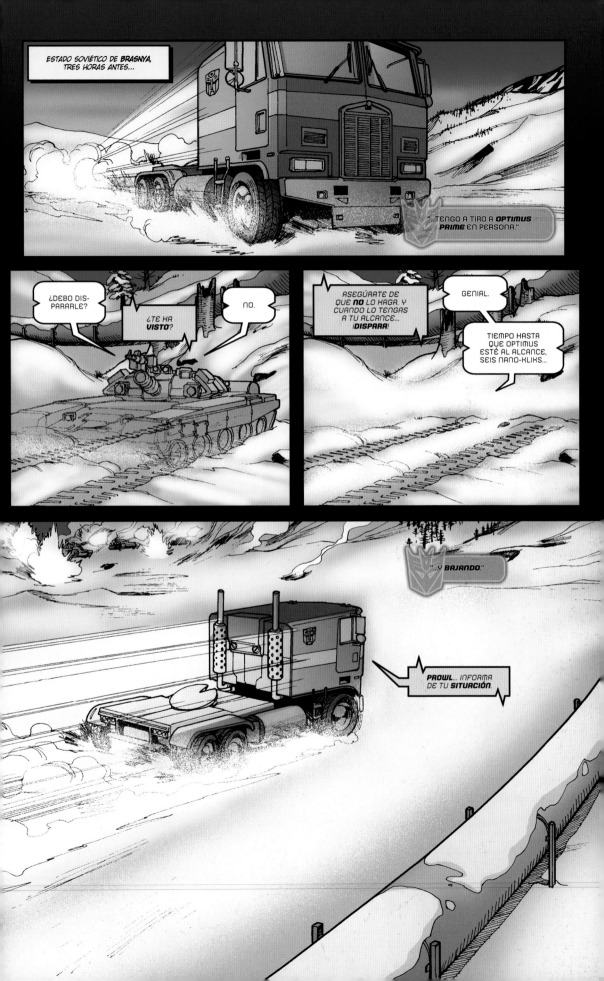

¿PRIME? ¿ESTÁS BIEN?

PER-FECTA-MENTE.

"EL TÁCTICO REMOTO HA CONFIRMADO LA PRESENCIA DE *BLITZWING*."

"EL RESTO..."

"...LO DEJÉ PARA *ROLLER*."

SABES CUIDAR DE *TI* MISMO, ¿EH?

EXACTO. AHORA, SUPONIENDO QUE MEGATRON SIGA EN LA ZONA...

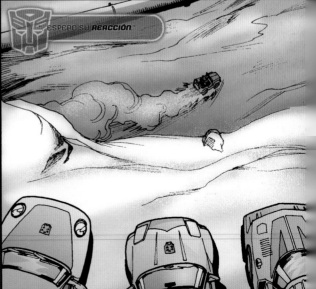

"ESPERO SU *REACCIÓN*."

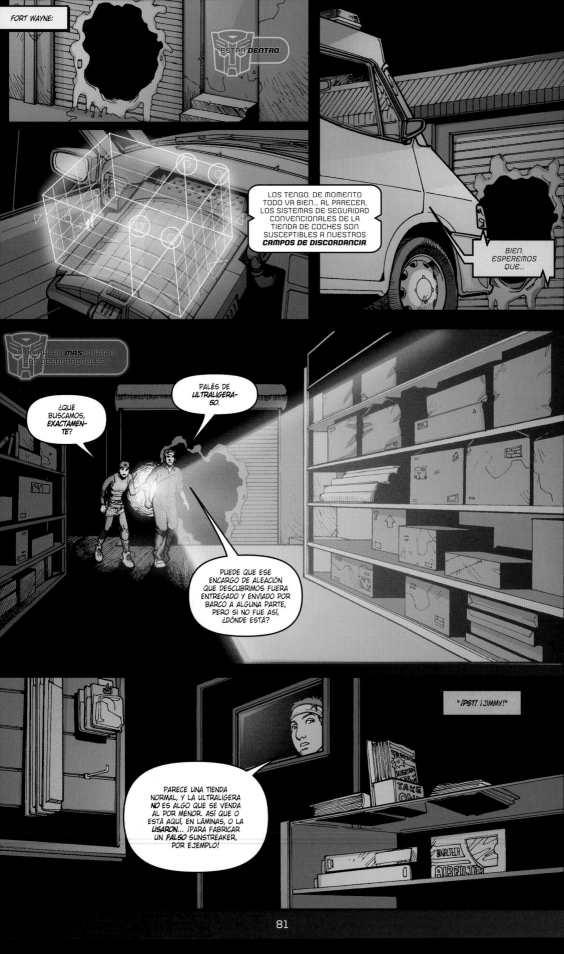

AQUÍ HAY ALGO. ¡MIRA!

¿VES ESA RANURA? VA DE ARRIBA HACIA UN LADO, Y DESPUÉS HACIA ABAJO. CREO QUE PUEDE SER UNA *PUERTA*.

PUEDE QUE SÍ. VENGA, AYÚDAME A MOVER ESTO A UN LA...

¿...DOOO?

O ERES MUCHO MÁS FUERTE DE LO QUE PARECES, JIMMY... ¡O ESO ESTABA *PREPARADO* PARA MOVERSE!

AH.

DEBE DE HABER UN RAÍL.

HUM. NO TIENE POMO. A VER CÓMO...

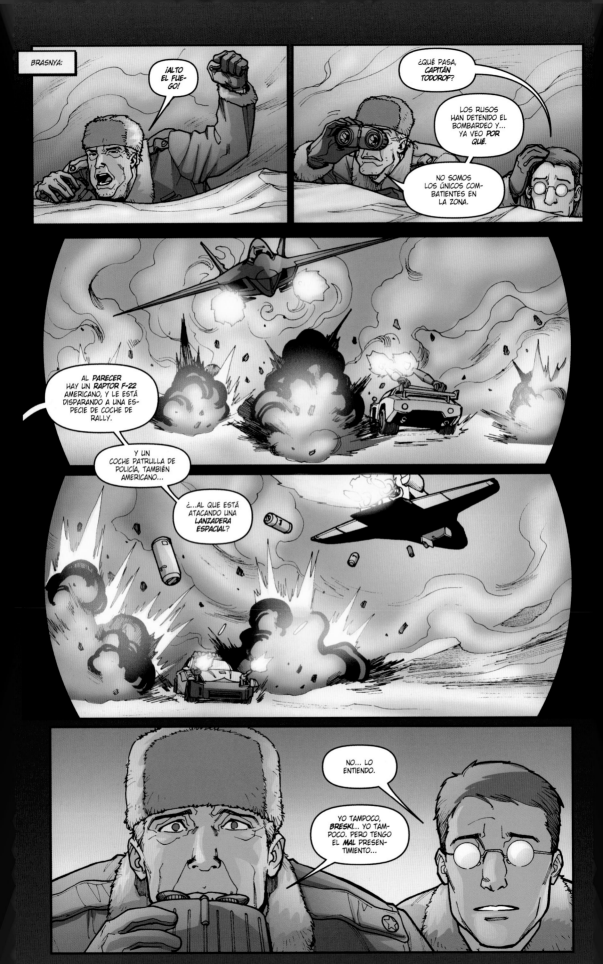

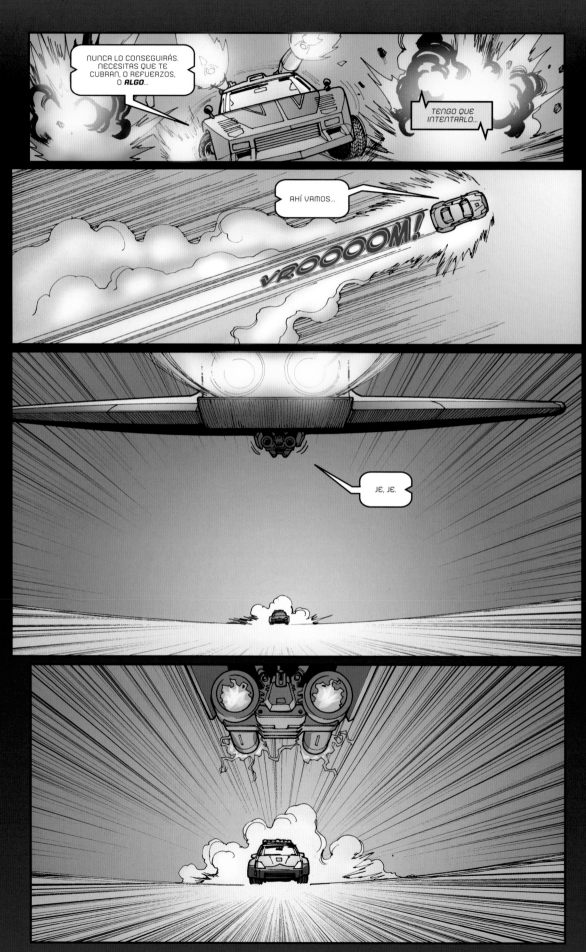

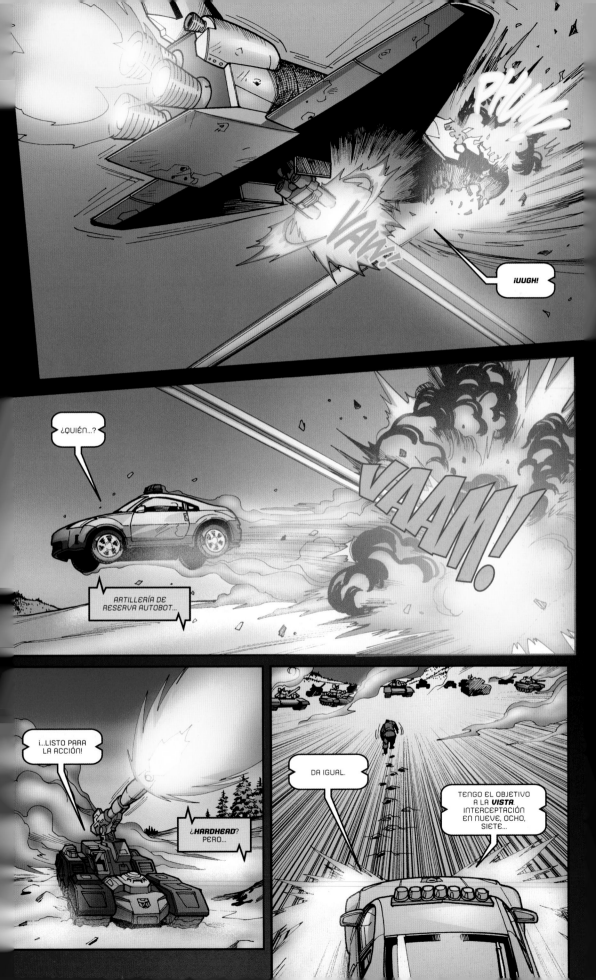

¿PERO QUÉ...?

¡*UAUH*! ¡MIRA QUE ENCONTRAR *TRÁFICO* JUSTO AQUÍ!

SCREE!

¡UNGH!

¡CARAY!

PÁSEME LA RADIO...

¡...VOY A INFORMAR DE ESTO!

¿QUÉ HA PASADO? ¿QUÉ HA VISTO?

NADA.

AL HABLA EL CAPITÁN TODOROF, DE LA INFANTERÍA CATORCE. CONSÍGAME UNA COMUNICACIÓN *SEGURA* CON EL *MAYOR ARKURIN*. PRIORIDAD ALFA-NUEVE-NUEVE.

¿POR QUÉ NO *FUNCIONA* ESTO?

OPTIMUS PRIME. AL HABLA *NIGHTBEAT*.

...

ADE-LANTE.

HE ESTADO INSPECCIONANDO LA ZONA DESDE LA ÓRBITA. LAS FUENTES DE NOTICIAS *LOCALES* ESTÁN CORTADAS. QUE YO SEPA, NO HAY SEÑALES QUE NO SEAN CYBERTRONIANAS SALIENDO O ENTRANDO A LA ZONA.

NIGHTBEAT, CREO...

...QUE YA SÉ *POR QUÉ*.

OPTIMUS PRIME...

...*CUÁNTO* TIEMPO.

SOBRE TODO DESDE LA ÚLTIMA VEZ QUE NOS ENCONTRAMOS EN *COMBATE*.

AQUÍ Y *AHORA*...

FORT WAYNE:

ESIGN WORKS CUSTOM WHEELS

SALES

DATE 070401

"EN UNA PALABRA..."

...UAUH.

AL LADO DE ESTO, MI VIEJO GARAJE ERA UN *DESGUACE* DE MALA MUERTE. NI SIQUIERA RECONOZCO LA MITAD DE LAS COSAS.

CUANDO DEJES DE ALU-CINAR...

...DEBERÍAMOS SEGUIR *INSPECCIO-NANDO* ESTE LUGAR. YA SABES, POR SI EN-CONTRAMOS ALGO QUE NOS LLEVE HASTA HUNTER.

EH, CLARO. SÍ...

EMPEZARÉ POR ALGO QUE SAQUÉ DE TODAS ESAS NOVELAS NEGRAS QUE HE LEÍDO... BUSCAR SIEMPRE EN LAS *PAPELERAS*.

BIEN, TÚ SIGUE A LO TUYO.

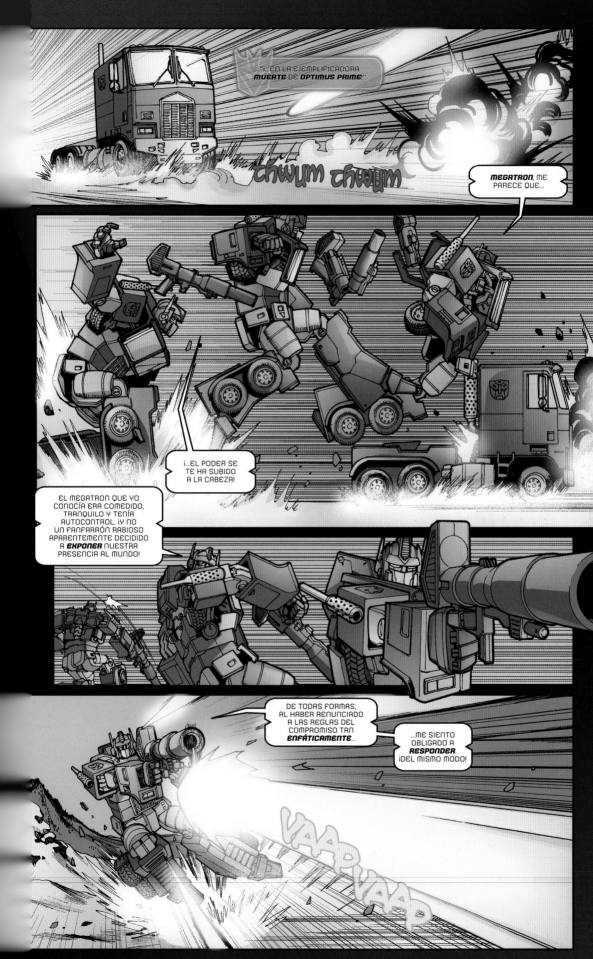

"¡...EN LA EJEMPLIFICADORA **MUERTE** DE **OPTIMUS PRIME**!"

chwum chwum

MEGATRON, ME PARECE QUE...

¡...EL PODER SE TE HA SUBIDO A LA CABEZA!

EL MEGATRON QUE YO CONOCÍA ERA COMEDIDO, TRANQUILO Y TENÍA AUTOCONTROL. ¡Y NO UN FANFARRÓN RABIOSO APARENTEMENTE DECIDIDO A **EXPONER** NUESTRA PRESENCIA AL MUNDO!

DE TODAS FORMAS, AL HABER RENUNCIADO A LAS REGLAS DEL COMPROMISO TAN **ENFÁTICAMENTE**...

...ME SIENTO OBLIGADO A **RESPONDER**. ¡DEL MISMO MODO!

VAAP VAAP

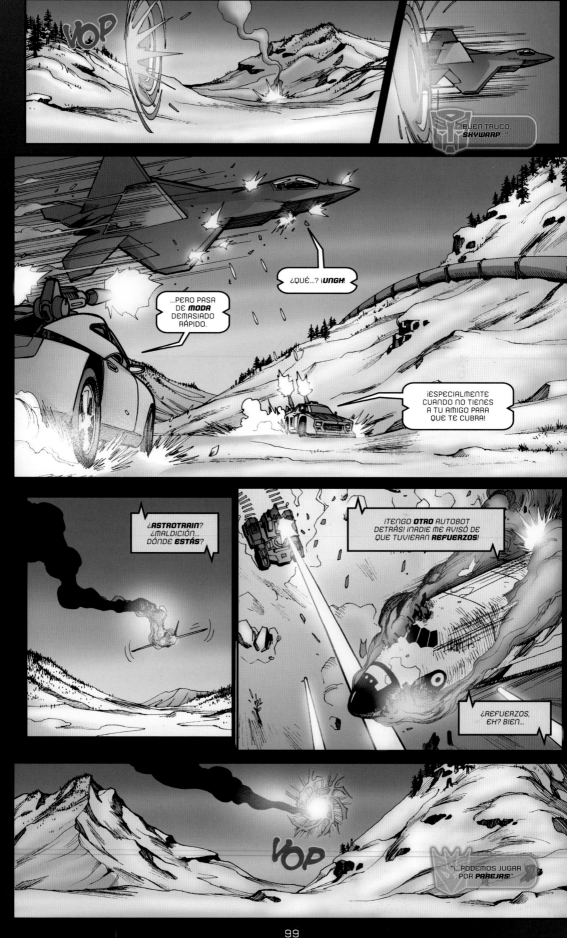

CHOKKT

THENNK

RATCHET... AQUÍ ATRÁS HAY UNA ESPECIE DE ENTRADA ESCONDIDA.

SEGÚN MIS SENSORES, NO LLEVA A **NINGUNA PARTE**. SOLO VEO UNA GRAN OSCURIDAD.

¡QUE SE VAYAN AL CARAJO LOS LECTORES DE HOLOMATERIA, VOY A ECHAR UN VISTAZO!

¡DATE **PRISA**!

VEOO·VEOO·

VIENE ALGUIEN...

ATENCIÓN. UNIDAD SIETE. TIEMPO PREVISTO PARA LLEGAR A PARKSIDE MALL, CUATRO MINUTOS...

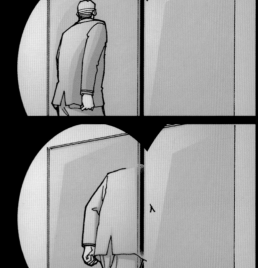

CARAY.

¿IRONHIDE? ¿QUÉ PASA?

¿IRONHIDE?

PROBLE-MAS.

03:19

BRASNYA:

¡UUFF!

KSHT

HUBO UN TIEMPO, PRIME, EN QUE TÚ Y YO ÉRAMOS CASI IGUALES. YO RESPETABA EL PODER CRUDO DEL QUE DISPONÍAS, Y TUS HABILIDADES COMO ESTRATEGA Y LÍDER.

PERO ESO ERA *ENTONCES*, EN OTRO TIEMPO, EN OTRO SITIO. ESTE...

i...ES UN MUNDO TOTALMENTE *NUEVO*!

SKRATAK

¿CREES QUE LOS EQUILIBRIOS DE PODER HAN *CAMBIADO*? IRREMEDIABL...

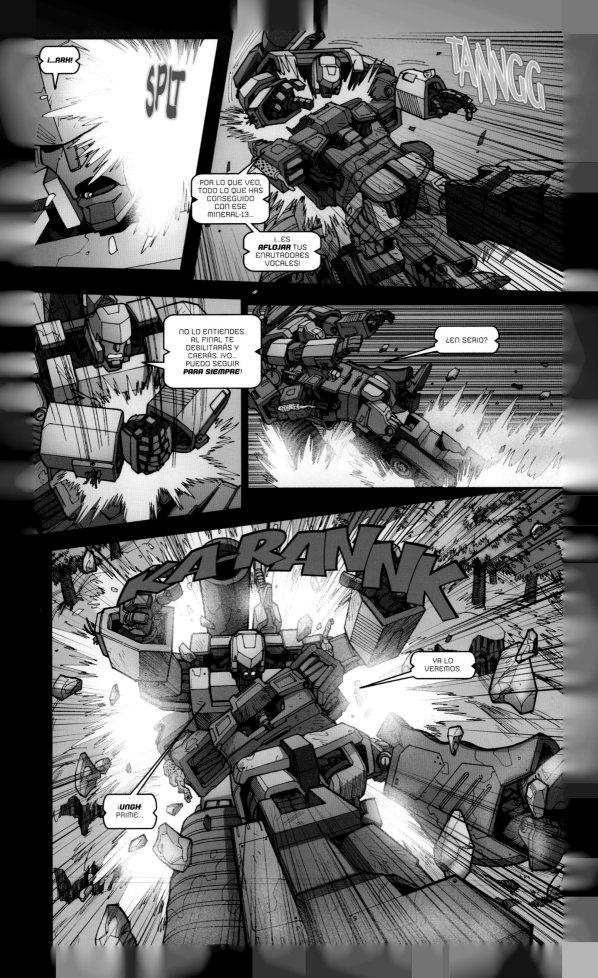

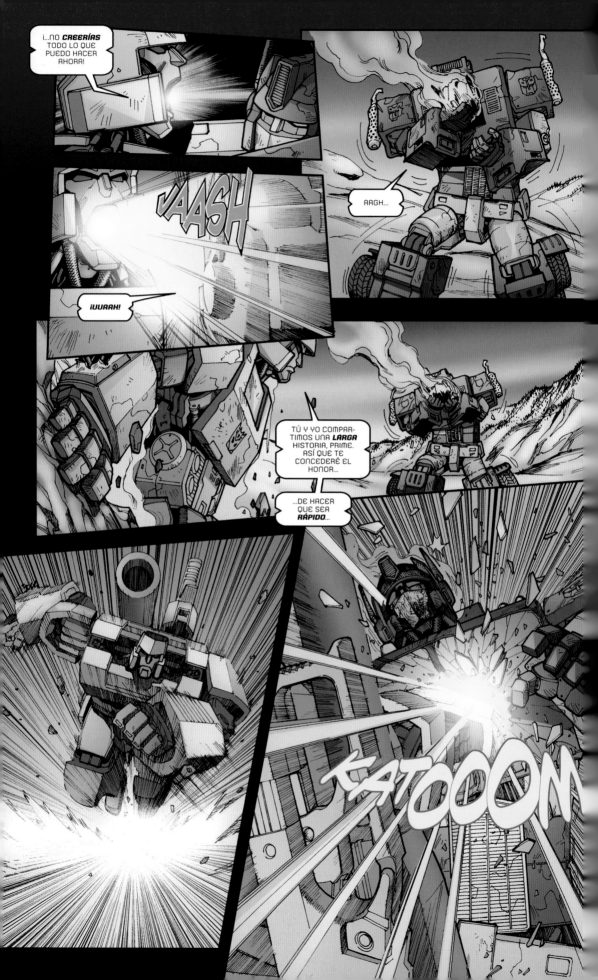

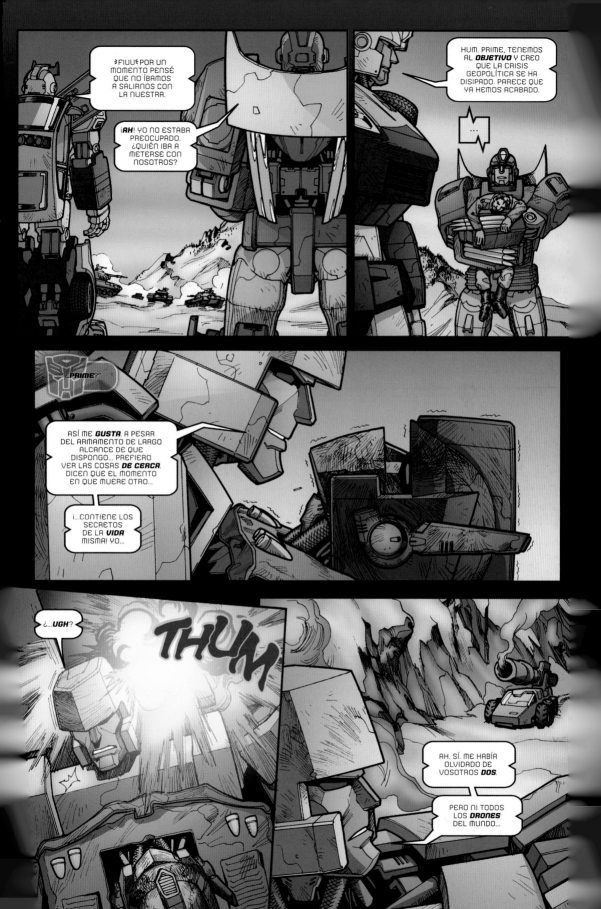

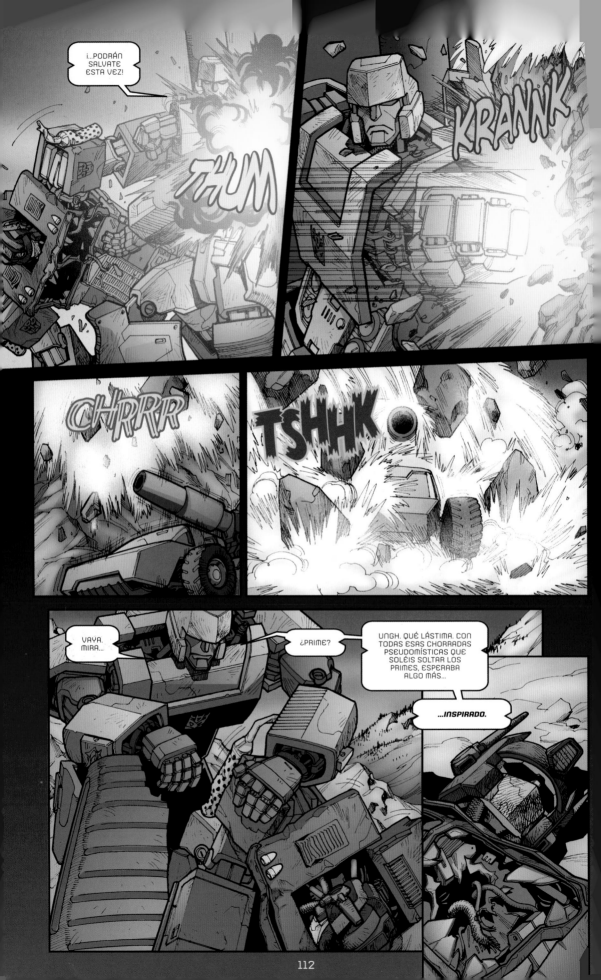

¿QUÉ ESTÁ PASANDO? ¿CLIVE?

¡PROFESOR GORING!

¡GRACIAS A DIOS QUE HA LLEGADO! DICEN QUE NO **PODEMOS** ENTRAR, QUE LA EXCAVACIÓN HA QUEDADO BAJO JURIS-DICCIÓN **OFICIAL**.

¿**OFICIAL**...? ¿PERO... Y NUESTROS PATROCINADORES? ¿Y LA UNIVERSIDAD?

¿QUIÉN ESTÁ AL **MANDO**?

NI IDEA. LA POLICÍA NO.

SOLO ESTÁN PARA EVITAR QUE **ENTREMOS**. LOS TIPOS QUE HAN ORGANIZADO ESTO...

¡...NO **PIENSAN** MOSTRAR SUS CREDENCIALES!

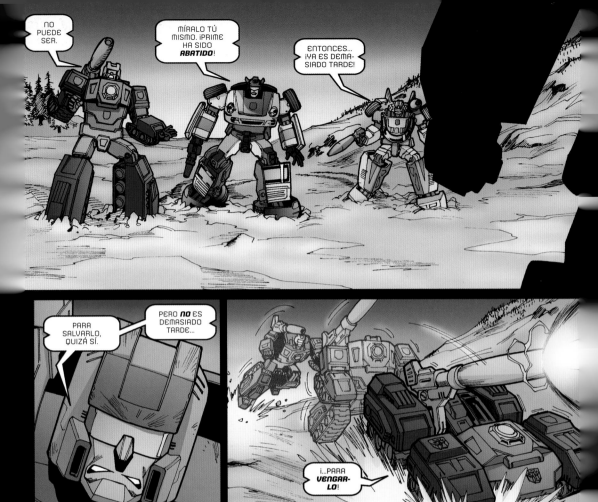

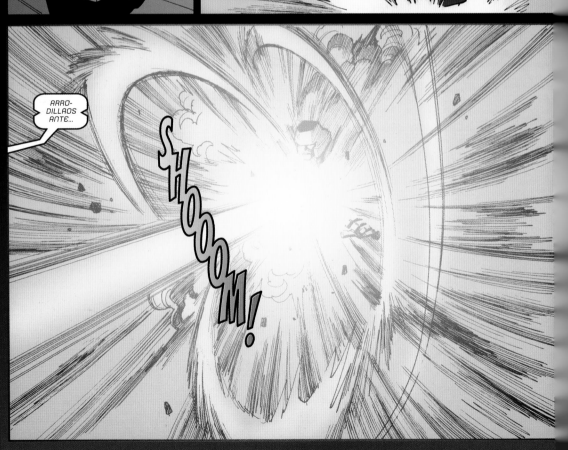

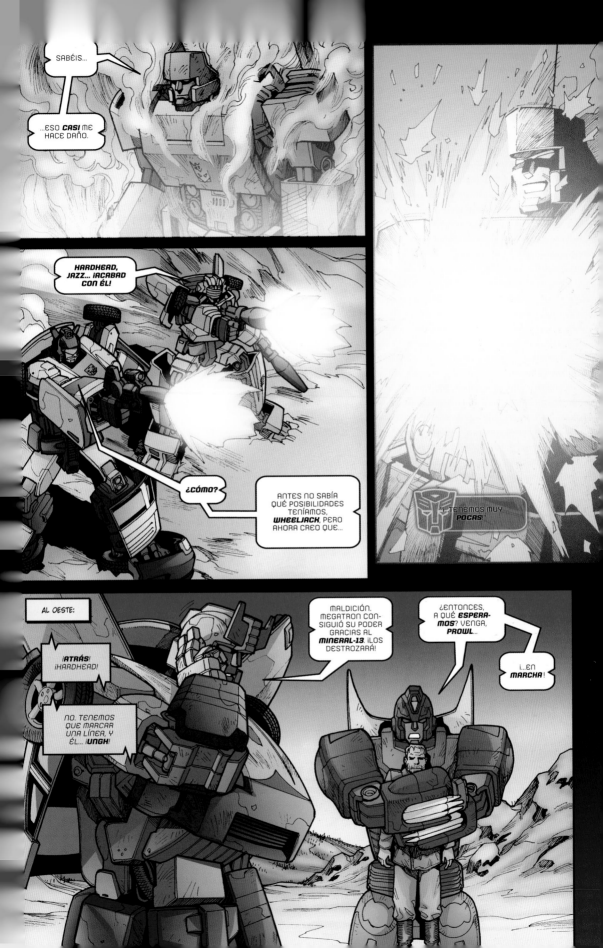

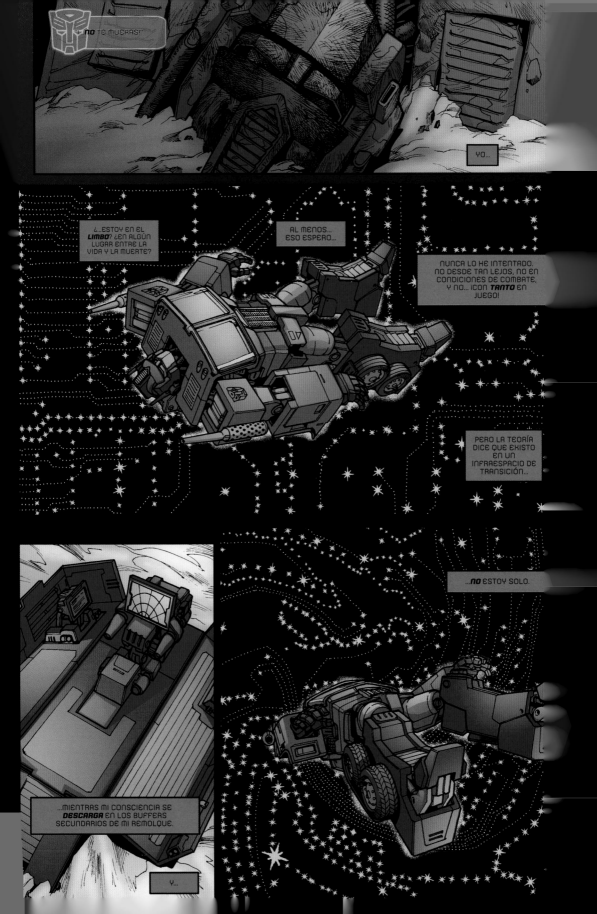

"...¡NO TE MUERAS!"

YO...

¿...ESTOY EN EL **LIMBO**? ¿EN ALGÚN LUGAR ENTRE LA VIDA Y LA MUERTE?

AL MENOS... ESO ESPERO...

NUNCA LO HE INTENTADO. NO DESDE TAN LEJOS, NO EN CONDICIONES DE COMBATE, Y NO... ¡CON **TANTO** EN JUEGO!

PERO LA TEORÍA DICE QUE EXISTO EN UN INFRAESPACIO DE TRANSICIÓN...

...**NO** ESTOY SOLO.

...MIENTRAS MI CONSCIENCIA SE **DESCARGA** EN LOS BUFFERS SECUNDARIOS DE MI REMOLQUE.

Y...

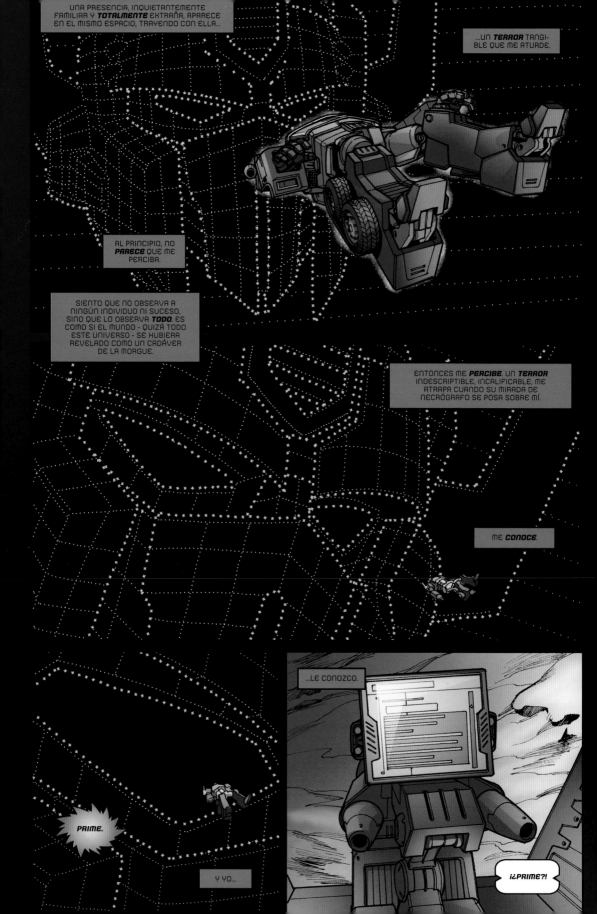

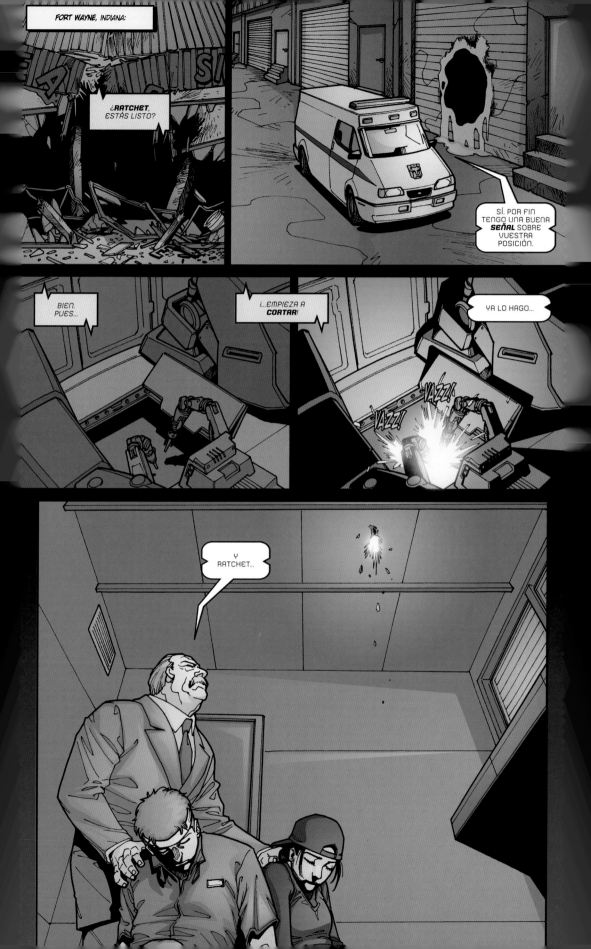

BRASNYA:

VOSOTROS...

...APARTAOS... *AHORA*!

THWUMMM!

PARECE QUE MEGATRON NO DISPONE DE ARMAMENTO DE LARGO ALCANCE Y QUE NO PUEDE ACCEDER A SU MODO DE ALTERACIÓN SIN QUE ALGUIEN LO CONTENGA Y LE *AYUDE*. ASÍ QUE...

...ESTAMOS RETROCEDIENDO UNA Y *OTRA* VEZ. CUANDO CONSEGUIMOS ALGO DE DISTANCIA, VOLVEMOS A ATACAR. ¡AHORA *MUÉVETE*!

TÚ *TAMBIÉN*, HARDHEAD.

SÍ, SÍ.

FTUM! FTUM!

123

00:35

KASH!

¡ESTÁS **DENTRO**! ¡RATCHET, CORTA LA ENERGÍA!

HECHO.

Y AHORA PREPÁRATE...

00:31

00:25

i...SUBO A **VERITY** Y **JIMMY**!

00:18

LA TENGO. EN **CUANTO** ESTÉN LOS DOS A SALVO...

00:11

i...**MÁRCHATE** DE AQUÍ!

BRASNYA:

PRIME...

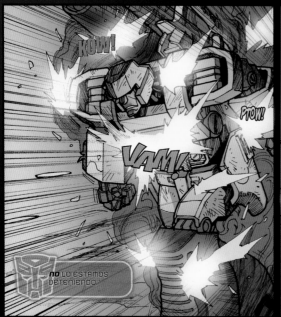

KOW!

PTOW!

VAM...

NO LO ESTAMOS DETENIENDO.

DE HECHO, NO MUESTRA **NINGUNA** REACCIÓN ADVERSA AL MINERAL-13.

MANTÉN LA POSICIÓN, PROWL...

...**VUELVO** A LA PARTIDA.

VOW!

PTANG!

FTUM!

MEGATRON...

¿EH?

¡BUENO... YA TENDRÉ **OTRA** OPORTUNIDAD!

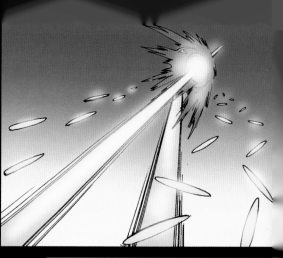

¡**PRIME**! ¿ESTÁS...?

MEGATRON... **AGH**... ESTUVO A PUNTO DE **DESTROZAR** MI CHISPA. VOY A NECESITAR UN TIEMPO DE R.C.*

¿QUÉ HAY DE LA RÉPLICA?

*REGENERACIÓN CRIOGÉNICA

LO TIENE HOT ROD.

¿HOT ROD?

PROWL, AL HABLA NIGHTBEAT.

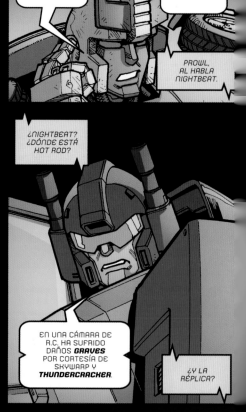

¿NIGHTBEAT? ¿DÓNDE ESTÁ HOT ROD?

EN UNA CÁMARA DE R.C. HA SUFRIDO DAÑOS **GRAVES** POR CORTESÍA DE SKYWARP Y **THUNDERCRACKER**.

¿Y LA RÉPLICA?

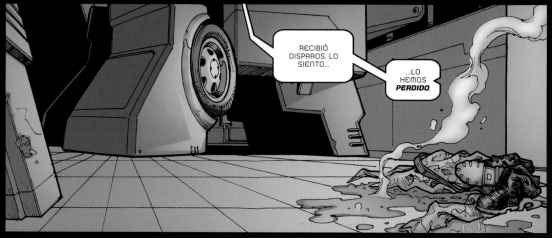

RECIBIÓ DISPAROS. LO SIENTO...

...LO HEMOS **PERDIDO**.

FORT WAYNE:

"¿IRONHIDE?"

...

MALDICIÓN. ¿Y AHORA QUÉ HAGO? MENUDO DESASTRE.

SUNSTREAKER, IRONHIDE... ¿QUIÉN SERÁ EL SIGUIENTE? ADEMÁS...

"¡AÚN NO SABEMOS QUIÉN ESTÁ DETRÁS DE ESTO!"

TAMPA, FLORIDA:

"COMO PUEDE VER..."

...ESTE PARECE HABER ASIMILADO PERFECTAMENTE LAS *MEJORAS*.

¿QUÉ ME HA *PASADO*? ¿QUIÉNES *SON* USTEDES?

¿Y QUÉ ES *ESO*?

LOS ≋GH≋ NUEVOS ACELERADORES CURATIVOS HAN ≋GH≋ SUPERADO TODAS LAS EXPECTATIVAS. INICIAD ≋GH≋ LA *PRODUCCIÓN EN CADENA*.

OIGAN, ¿QUÉ *QUIEREN* DE MÍ?

¿DE TI? NADA. YA HAS CUMPLIDO CON TU COMETIDO.

AUNQUE SU-PONGO QUE CON UN *ACONDICIONAMIENTO APROPIADO...*

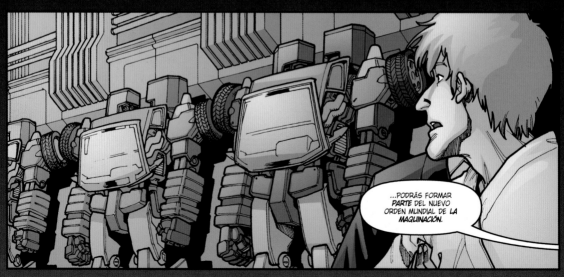

...PODRÁS FORMAR *PARTE* DEL NUEVO ORDEN MUNDIAL DE LA *MAQUINACIÓN*.

Galería de imágenes

CUBIERTA ALTERNATIVA DE **TRANSFORMERS: ESCALATION** Nº1 USA
(DE KLAUS SCHERWINSKI)

CUBIERTA DE TRANSFORMERS: ESCALATION Nº2 USA
(DE E.J. SU)

CUBIERTA ALTERNATIVA DE TRANSFORMERS: ESCALATION Nº2 USA
(DE KLAUS SCHERWINSKI)

CUBIERTA ALTERNATIVA DE **TRANSFORMERS: ESCALATION** Nº4 USA
(DE KLAUS SCHERWINSKI)

CUBIERTA ALTERNATIVA DE *TRANSFORMERS: ESCALATION* Nº5 USA
(DE KLAUS SCHERWINSKI)

CUBIERTA DE TRANSFORMERS: ESCALATION Nº6 USA
(DE E.J. SU)